12/21

Come para comerte el mundo

Come para comerte el mundo

María Kindelán

Plataforma
Editorial

Primera edición en esta colección: agosto de 2021

© María Kindelán, 2021
© de la presentación, Eduardo Sicilia, 2021
© del prólogo, Luis Suárez de Lezo, 2021
© de la presente edición: Plataforma Editorial, 2021

Plataforma Editorial
c/ Muntaner, 269, entlo. 1ª – 08021 Barcelona
Tel.: (+34) 93 494 79 99
www.plataformaeditorial.com
info@plataformaeditorial.com

Depósito legal: B 12244-2021
ISBN: 978-84-18285-95-0
IBIC: VS

Printed in Spain – Impreso en España

Foto portada
Foto de la revista *ELLE Gourmet*
Fotografía: Patricia Gallego
Maquillaje y pelo: Alba Nava
Estilismo: Sylvia Montoliú
Foto realizada en Kiki Market

Fotos de estilo de vida interior libro
Fotografía: Jaime Lahoz www.jaimelahoz.com
Estilismo: Lucrecia Morales www.lulukaylu.com
Maquillaje y pelo: Alba Nava www.albanava.com
Ubicación fotos estilo de vida: Finca Fuente Techada, Sotosalbos, Segovia.
www.hotelfincafuentetechada.com

Fotos de platos
Pudding de verduras, de la revista *ELLE Gourmet*.
Fotos chefs colaboradores, propias de los autores, cedidas a Plataforma Editorial
para la publicación del presente libro.
Fotos de recetas propias de la autora, propiedad de la autora.

Diseño de cubierta y fotocomposición:
Grafime

El papel que se ha utilizado para imprimir este libro proviene
de explotaciones forestales controladas, donde se respetan
los valores ecológicos, sociales y el desarrollo sostenible del bosque.

Impresión:
Liberdúplex
Sant Llorenç d'Hortons (Barcelona)

El papel utilizado para la impresión de este libro
ha sido fabricado a partir de madera procedente
de bosques y plantaciones gestionados con los
más altos estándares ambientales.
Papel certificado Forest Stewardship Council ®

MIXTO
Papel procedente de
fuentes responsables
FSC® C109440

Índice

ÍNDICE

Presentación

Hace unos días presenté a María, la autora del libro que tienes en las manos, y a Luis Suárez de Lezo, buen amigo y presidente de la Academia Madrileña de Gastronomía. Desayunamos en Il Tavolo Verde, uno de esos espacios secretos de Madrid donde te rodean antigüedades y arte, aromas y flores. El entorno de armonía y calidez lo custodiaba la acogedora sonrisa de Martina, la anfitriona de este lugar, hogar de encuentros en el que tantas veces he recalado durante mis últimos dos años en la zona.

—Luis, dime sin compromiso qué te parece el propósito de este libro, en el que María habla de belleza, cocina, salud, disfrute, color… Si ves que tiene sentido, me encantaría que pudieras hacer un prólogo desde el punto de vista de la gastronomía.

—Creo que la salud y la gastronomía deben salir al encuentro, y estaré encantado de leerlo y disfrutarlo, pero el que debería hacer la introducción al libro eres tú, que eres quien de verdad conoce a María y su historia y quien ha visto gestarse este libro.

Así que, de esta manera, sin ser un especialista en gastronomía ni en salud, me atreveré a dar la bienvenida a los lectores a *Come para comerte el mundo*.

Cuando uno se adentra en una nueva lectura y empieza a navegar por sus páginas, sus ilustraciones, sus historias, rápidamente se hace la pregunta: ¿quién es la persona que escribe? ¿Cómo es? ¿Para qué escribe este libro?

Conocí a María Kindelán hace ya unos años, en el Dojo, donde ambos íbamos en busca de energía para desarrollar nuestros proyectos. Y me habló, nada más conocerla, precisamente de energía, y de cómo esta procedía de dentro de uno mismo y, desde luego, de los nutrientes con los que uno se alimenta. Al verla alta y delgada, me sentí algo escéptico ante su doctrina. Mis creencias incluyen el chocolate en la primera conversación con gente que se dedica a dar recomendaciones sobre vida saludable. Pero vi que María era permisiva con el chocolate y algunas otras de mis adicciones culinarias. «Un buen helado, Eduardo, es un buen helado». Así que, vencida esa barrera, nos fuimos conociendo un poco más. Me habló de su procedencia del mundo de las grandes corporaciones, del emprendimiento y del precio que ella había pagado por esa vida, y que se había traducido en pérdida de salud.

A partir de ahí, se marcó un propósito. Recuperar la salud, la energía y la vida. Y ese reencuentro pasó por la alimentación, la que le hacía daño y la que le daba salud y confort. En ese punto de reencuentro consigo misma, decide seguir explorando y aprovechar su experiencia para aprender más, estudiar, especializarse y ayudar a otros con su conocimiento y vivencias. Y así nace su nueva vida, y así se reinventa y despegan sus nuevos proyectos profesionales y vitales.

Como a mí me gusta probar y admiro a todas las personas que se saben reinventar, que parten de cero una y otra vez, empecé a experimentar con las tesis de María.

—A ver, María, yo necesito tener más energía, sobre todo necesito mantenerla: hay jornadas en las que observo bajadas repentinas de vitalidad, concentración o resistencia física.

—Pues depende de si empiezas tu jornada dando una conferencia, un paseo o con una negociación…

Aprendí con ella que distintas situaciones requieren diferentes combustibles, algo que yo pensaba que estaba reservado para los deportistas de alta competición, pero no para el mundo ejecutivo, que era el mío.

Y poco a poco fui entendiendo su filosofía de cuidado del cuerpo en función de cómo nos alimentamos. Nos veíamos comiendo, desayunando o cenando, que era la mejor manera de comprobar cómo se alimentaba María. Necesitaba verla gozar de una buena comida. Yo disfruto mucho: me encanta llorar ante unas buenas lentejas, un buen bocata de tortilla o una tarta de ocho chocolates. Y observé que María disfrutaba de las texturas, de los colores, los sabores y los olores, y, además, era una gran cocinera. Así que no solo seguía algunas de sus indicaciones, sino que, además, me aventuraba con alguna de sus recetas. Lo primero que aprendí es que en un plato debe haber al menos tres colores. Desde ese día no tomo un desayuno en el que no haya tonalidades verdes, naranjas, rojas o blancas.

Recuerdo una tarta que me regaló junto con su propia receta. Tras devorarla, me apliqué un día en casa y traté de replicarla. Tenía los ingredientes, las cantidades, el proceso de elaboración y los tiempos. El resultado, claro, fue un desastre: un ladrillo que me sirvió de sujetapapeles durante unos días, ese era su único uso posible. La llamé en son reivindicativo, ya que no habían funcionado sus instrucciones.

—María, un desastre. Algo he hecho mal. Bueno, muy mal, porque casi me rompo un diente al probarla.

—Eduardo, cuéntame cómo la hiciste.

—Bueno, pues fue esta semana, para celebrar un partido de Champions del Madrid, que finalmente no pudimos celebrar, ya que perdió contra el Tottenham 3-1.

—Qué tensión, madre mía. Eduardo, tal y como me lo cuentas, creo que a esa tarta le metiste un exceso de estrés, y veo ausencia de cariño, así que es imposible que saliera bien. Los platos ricos se preparan también con el corazón, y tú no lo tenías en el bizcocho, lo tenías en el campo de juego.

No le pregunté más, lo entendí perfectamente. Una buena cocina necesita amor y alegría, atención y tiempo, buen humor y propósito. Puede sonar a plan estratégico, pero es que es verdad. Cuando hacemos algo con cariño para alguien, sale bien y lo disfrutamos, y esa es una de las recetas que aprendí con María.

A partir de ahí, María siguió con sus proyectos, colaborando con distintas instituciones, trabajando para que la alimentación y la salud fueran de la mano, disfrutándolo. Porque, si algo tiene María, es que sabe disfrutar de las cosas, de los ingredientes, de las situaciones, de la compañía y, desde luego, de la cocina.

Creo que no existe un campo donde convivan más teorías que en el de la alimentación. Desde los convencidos de las cinco comidas al día hasta los militantes del ayuno de ocho, diez o doce horas diarias. Cientos de teorías y de nuevas tendencias que se desdicen unas a otras. Como he dicho al principio, no soy un experto, y no se me ocurriría opinar sobre algo tan complejo. Lo que sí me gustaría resaltar es el objetivo de este libro, que no es otro que el de acompañarte, entretenerte y darte algunas ideas que te pueden ser muy útiles. Porque, como dice María, una cosa es alimentarse, y otra, nutrir al organismo. Y para eso tenemos que conocer qué necesitan nuestro organismo y nuestra mente, y en ese sentido sí puedes ilustrarte un poco con su lectura.

En todo caso, lo que desde luego puedo asegurarte es que disfrutarás de recetas estupendas, creativas, sencillas y alegres, porque alimentarse, más allá de ser una necesidad, es un inmenso placer. Y sea cual sea tu situación, podrás encontrar satisfacción y sentido a ese placer diario que se llama comer.

Disfruta de su lectura, de sus consejos y de sus recetas. Disfruta de María Kindelán.

EDUARDO SICILIA
Directivo, emprendedor, académico.
Exconsejero de la Comunidad de Madrid.

Prólogo

La gastronomía nos brinda una ventana fascinante a las distintas civilizaciones. Conocer los ingredientes, los sabores y las sazones, las técnicas de conservación o los hábitos de consumo en una sociedad nos habla de su auge político, económico y social, de su estética y de su espiritualidad. Recorrer la historia de los pueblos a través de sus platos nos permite asomarnos a mundos sin aviones, hogares sin frigoríficos o pueblos —¡pobre Esparta!— en los que la frugalidad era señal de distinción. Sabemos, por ejemplo, que en el antiguo Egipto ya se cocinaba a la brasa la gran mayoría de los productos que utilizamos en la actualidad. O que es en Grecia donde se empieza a entender la alimentación como una ciencia. De hecho, fue Hipócrates quien formuló aquello de «que tu alimento sea tu medicina». Los famosos banquetes romanos, con sus animales enteros asados, sus aves y pescados, sus bandejas rebosantes, pura embriaguez y hedonismo, forman parte del imaginario colectivo. Como la anécdota que describe *El Satiricón,* de Petronio, en la que se sirve a los invitados un jabalí entero asado al que el cocinero clava un cuchillo en el costado y de cuyo interior salen tordos vivos volando, para deleite y espectáculo de los invitados. Historia o anecdotario, mezcla de sátira y crónica: excesos, al fin, que siempre han existido a lo largo de nuestra historia y que vienen documentando que la gastronomía nos habla de intercambio cultural, de modas, de civilización, de clases y de poder. Pero también nos habla de algo que se ha ido desarrollando en paralelo —sin drama ni pirotecnia, pero con todo fundamento—, que es la estrecha relación entre la comida y la salud.

Hay un personaje sublime que ilustra esta relación. Se trata de Jean Anthelme Brillat-Savarin, el primer gastrónomo de la historia y gran pilar de ese puente entre el arte culinario y la ciencia, la buena mesa y la química, la física, la medicina o la anatomía. Magistrado del Tribunal Supremo francés y médico aficionado, supo relacionar de forma muy acertada el placer de comer, la cultura y la salud en su célebre obra titulada *Fisiología del gusto*. Enemigo de cualquier exceso, a Brillat-Savarin le gustaban los platos delicados y ligeros, y era partidario de implicar a todos los sentidos en el placer de comer. Desde el más íntimo de todos ellos, el gusto, hasta la vista, el olfato o el tacto: para él, en la ceremonia del buen comer se precisa el correcto funcionamiento de todos los sentidos.

La visión del gran Brillat-Savarin es perfecta para introducir la relación actual entre gastronomía y salud. Ahora, además, tenemos mucha más información, conocimiento de los alimentos, de las diferentes formas de cocinarlos y de sus efectos en el cuerpo humano. Hoy en día, la gastronomía es indisociable de la salud. Así como de la calidad, del buen producto y el placer.

Ese es el hilo conductor de *Come para comerte el mundo*, el sabroso libro con el que nos hace disfrutar María Kindelán. Y empiezo con lo de sabroso porque es un libro que orbita en torno a la salud, pero que también incluye recetas y platos para disfrutar y, sobre todo, para recuperar la magia que debe existir en la preparación de cualquier comida o en el propio acto de comer. La pasión que transmite en cada una de las elaboraciones, los productos que selecciona y la forma de convertirlos en un plato armonioso, atractivo visualmente y exquisito obligan a ponerse el mandil y encender los fuegos a la primera oportunidad.

Pero este libro tiene una virtud más, que supera a la de la relación de la salud con la gastronomía e, incluso, a la de la cocina como forma de disfrutar. Y es la concienzuda conexión entre la energía que necesitamos para nuestro día a día y lo que comemos. Estoy seguro de que todos los lectores se van a ver reflejados en alguna de las situaciones que describe María y van a aprender a mejorar su rendimiento disfrutando más.

Del comino al azafrán, pasando por la canela, el tomillo o la albahaca. De las verduras de temporada a la inteligente combinación de textura, cantidad y frecuencia. Desde la cesta de la compra hasta la conversación en familia en torno a una olla. Todos los detalles importan. Y todos, nos enseña María, van de la mano de algo irrenunciable: la calidad. Todos, al fin, nos demuestran que la mejor gastronomía no está reñida con la salud. Al revés, son grandes aliados. ¿Acaso no exclamamos «salud» cuando levantamos una copa en señal de celebración? Hoy mi brindis, ¡cómo no!, va por este libro y los placeres que nos tiene reservados.

LUIS SUÁREZ DE LEZO
Presidente de la Academia Madrileña de Gastronomía
y académico de número de la Real Academia de Gastronomía

Introducción: ¡Hola!

Sea como sea que ha llegado este libro a tus manos, creo que no está de más que te cuente un poco quién soy, por qué he dedicado un tiempo de mi vida a escribir las siguientes páginas y, sobre todo, por qué me gusta tanto comer.

Lo cierto es que yo no empecé mi carrera profesional en el mundo de la nutrición. En absoluto. Vengo de una larga trayectoria de formación y experiencia como ejecutiva de multinacionales de gran consumo, farmacéuticas, editoriales y banca, y fue en las empresas por las que he pasado donde aprendí técnicas de comunicación, *marketing*, gestión y dirección de equipos. En todo este itinerario me enriquecí con unos conocimientos y una experiencia a los que ahora, después de este cambio en mi carrera, les estoy sacando partido, pero, sobre todo, lo que más me ha enriquecido ha sido trabajar en fascinantes proyectos corporativos con grandes profesionales.

Además, el instinto maternal me vino joven, de modo que entre puesto y puesto de dirección tuve a mis dos hijas, ¡y eso sí que es toda una experiencia vital! Descubrí también que la maternidad sumaba mucha más exigencia personal a mi forma de ser.

Esto me llevó a experimentar los efectos del estrés, algo muy normal tanto en mí como en cualquier madre y padre que trabaja y debe sobrevivir a su rutina cotidiana con niños pequeños, horarios, deberes, obligaciones, etcétera. Y que, sin querer, poco a poco va cayendo en hábitos de vida inconscientes para sobrevivir al día a día, al desgaste físico y mental, y al desencanto que este cansancio y esta acumulación de estrés conllevan, con unas consecuencias, además, evidentes —aunque en apariencia invisibles— para nuestro organismo y nuestro equilibrio emocional: desmineralización silenciosa del organismo, debilitamiento del sistema inmunológico y, también, una forma inadecuada de gestionar las emociones en momentos de crisis y de «sálvese quien pueda».

Sí, la dedicación y ese perseguir el éxito me pasaron factura y, cuando quise darme cuenta, salir de ese modo de vida, tirando siempre de mis energías en «depósito de reserva», era casi una tarea imposible. Sentía cansancio crónico y, además, padecía alergias y tenía también una celiaquía repentina, aunque yo por entonces no lo sabía, pues achacaba las molestias gástricas y los desórdenes que esta me producía al descontrol de horarios que llevaba.

Decidí que aquello no era vida. No podía seguir así. Abandoné la gran corporación para la que trabajaba y dediqué mi experiencia a desarrollar mi propia *start-up* tecnológica. Supuso un gran aprendizaje, pero, de nuevo, también un alto nivel de estrés y agotamiento que vino acompañado, además y con el tiempo, del cierre del negocio y de una importante pérdida económica.

Fue entonces cuando aprendí que, para cambiar de vida, no basta con cambiar tu entorno, lo que haces o tu trabajo. La respuesta, la solución a tus problemas, no está en realidad en lo que te rodea, está en ti. Y la encontré de nuevo, pero para ello tuve que pasar por un proceso de búsqueda que pasaba, primero, por buscarme a mí misma. Y por encontrarme. Me dediqué a estudiarme, a observar lo que me hace daño y lo que me cuida. También lo que necesitaba. Fue entonces cuando comencé a investigar, a formarme durante años con los mejores, a entrenar mi cuerpo, mi mente y, también, llevada por ese interés, a trabajar en el campo de la salud y de la cocina energética.

Hoy estoy sana, vital, fuerte en mi físico y en mi ánimo, intelectualmente activa y fresca. Me siento plena de energía. Mejor que en toda mi vida.

Ahora sí, al fin, puedo contarte, después de haberte explicado quién soy, por qué soy como soy ahora, lo que me ha hecho optimizar mi energía y cómo he llegado a alcanzar mis conocimientos sobre nutrición, con los que espero poder ayudarte para que tú también alcances esa sensación de equilibrio, máximo rendimiento y plenitud tan deseados.

Poseo un máster en Nutrición Clínica y Ciencia Avanzada de los Alimentos por la Universidad de Barcelona; también me he especializado en Alimentación Consciente, Nutrigenómica y Cocina Energética por distintas escuelas (Montse Bradford, Nirakara Mindful Institute, Instituto Nutrigenómica, etcétera) y he obtenido la titulación en Naturopatía por el Instituto Profesional de la Salud.

En la actualidad mi trabajo consiste en realizar labores de asesoramiento nutricional y energético para particulares y empresas, así como planes adaptados a los diferentes perfiles profesionales, haciendo uso de alimentos naturales con el fin de obtener su máximo rendimiento e implantar hábitos de vida sostenibles. Para ello, además de mis conocimientos, utilizo dos habilidades que he aprendido con los años: la capacidad de escucha y mi propia experiencia personal aplicada con sentido energético.

He impartido numerosos cursos de cocina energética en diferentes centros, así como ponencias, y también tengo la suerte de que algunas empresas y restaurantes cuenten conmigo para asesorarlos en sus proyectos de salud y diseño de propuestas gastronómicas equilibradas, naturales y sostenibles. En este sentido, trabajo como asesora de salud y chef orgánica para El Corte Inglés, PlenEat Organic Food y el restaurante Bumpgreen en Madrid.

Y, antes de seguir, despejemos una cuestión que posiblemente te estés preguntando: estoy delgada, sí. Mi constitución es larga y fina, además de fuerte y coordinada. Y sí, me cuido mucho, es la verdad. **Y me encanta comer bien.**

He tenido la suerte de heredar una genética estupenda de mis padres, así como buenas costumbres en la mesa y, también, hábitos deportivos. He disfrutado siempre del placer de comer y no he sufrido trastornos alimentarios —lo aclaro porque muchos podrían pensar que tal vez sea esa la causa de este libro, pues no sería la primera autora de un libro sobre comida que antes ha pasado por verdaderos calvarios. Por suerte, este no es el caso—. Sí tuve que aprender, en cambio, una nueva forma de comer cuando descubrí que era celíaca y el estrés me jugó malas pasadas. Y, por supuesto, me he esforzado mucho, con buenos hábitos, por mantener mi herencia genética, algo que está demostrado por los últimos avances en nutrigenómica que puede ser modificado, tanto para bien como para mal, por las costumbres buenas o malas adquiridas durante toda una vida a la hora de alimentarnos.

Me gusta pensar que el acto de cocinar es una suerte de meditación personal, un momento de atención plena, ese rato en el que puedo optimizar el tiempo y la energía y concentrarme, distinguiendo entre las labores automáticas y las que requieren de todos mis sentidos. Me encanta crear platos y recetas, disfruto lanzando propuestas que sé que pueden contribuir al bienestar físico y emocional de las personas, pero que también tienen la capacidad de unir a la gente alrededor de una mesa. Por eso, porque sé que la cocina tiene un gran componente emocional, yo me inspiro en el recetario de mi madre, que con tanto mimo ha venido nutriendo a las generaciones de mi familia.

> El fin de cocinar no solo es nutrir, alimentar... Es mucho más. Por eso, dotar de un sentido a cada plato es un estímulo incansable para mi curiosidad y mi creatividad.

Hoy puedo decir, sin miedo a equivocarme, que hago lo que me gusta. Creo en mí, en mi trabajo y en las propuestas que defiendo. Veo, día a día, sus resultados.

Por eso este descubrimiento personal: entender lo que me da vida, descubrir esta energía, comprender que debo priorizar mi cuerpo y mi mente sin sentirme mal por ello, es lo que me ha hecho decidirme a compartir contigo lo que para mí es la gran fuerza que guía mi vida.

Una pequeña nota antes de empezar

Quiero advertirte de que ninguna de las sugerencias que hago en estas páginas sustituye a tratamientos médicos, que deben ser dirigidos por un médico especialista para cada caso.

LAS PAUTAS QUE TE DARÉ EN ESTE LIBRO, Y QUE PUEDEN AYUDARTE A LLEVAR UN ESTILO DE VIDA SALUDABLE, ALIVIAR LA ANSIEDAD Y TENER MÁS ENERGÍA, *no reemplazan ningún diagnóstico médico ni conllevan o promueven el abandono de tratamientos realizados por profesionales de la salud.*

Si padeces alguna patología, consulta con tu médico.

Capítulo 1:
La belleza de comer

Comer, qué gran placer

Siempre se ha dicho que comer es uno de los mayores placeres de la vida, pero, cuando decimos esto, generalmente no nos estamos refiriendo a cualquier forma de comer —es decir, a comer «de cualquier manera»—, sino a cuando el acto de comer se convierte en todo un arte. Y es que, si algo nos gusta a los seres humanos, es darnos festines, pero festines sensoriales, de esos que suponen un auténtico placer para todos nuestros sentidos. Sí, la comida nos tiene que «entrar por los ojos». También nos tiene que atraer su olor, y ha de tener un tacto agradable. Y, sin duda, todo ese conjunto —su apariencia, su olor, ese aspecto que parece jugoso, suave o tierno y que indica lo maravilloso de la textura del manjar— anticipa un mar de sabores que nos hacen salivar y, con ello, activan una sensación directamente asociada al placer más absoluto. En efecto, señoras y señores: placer.

Basta con mirar la expresión de entusiasmo de ese amigo que te cuenta cómo de espectacular era el plato que probó en tal sitio, o de ese otro que recuerda el olor del guiso de la cocina de su abuela. O el alborozo de un niño ante su tarta favorita, o del adulto que se dispone a abrir un centollo cual cirujano.

Y si a todo eso le incorporamos una digestión fácil y el chute de energía que la comida supone para nuestras actividades, entonces estamos hablando de una de las relaciones más bellas, más perfectas de nuestra vida, porque ¿qué más podemos pedir si la comida nos aporta placer y nos da energía?

Placer y salud han sido palabras antagonistas en la mayoría de los foros universales, ni que decir tiene en el mundo gastronómico.

Precisamente por eso, creo que hace falta mucha más información, tanto respecto a los recursos que tenemos en la mesa como en relación con lo que nos produce verdadera satisfacción duradera. Y con ello me refiero al resultado de la suma de comer delicioso más el hecho de que lo que comemos siente bien y proporcione energía sostenible.

Porque, por muy bueno que estén el chorizo o el chocolate con leche, si uno se pasa de cantidad o los toma en el momento inadecuado del día, probablemente pasadas unas horas le provoquen un gran malestar y del disfrute temporal pase a la fase de las molestias digestivas, del dolor de cabeza o del sentimiento de culpa y remordimiento.

A algún defensor de los disparates puede que le compense el placer pasajero, pero, por lo general, suele ser un descubrimiento sorprendente y agradable unir las dos cosas. Es más, la suma de placer y salud es una receta poderosa de bienestar que potencia todos los aspectos de nuestra rutina, incluso en un entorno liderado por las prisas, las agendas multitareas y la conciliación de muchas vidas a la vez. Si yo he podido aprenderlo, cualquiera puede también.

El cómo hacerlo tal vez sea algo muy personal y, por tanto, diferente para cada persona. Aun así, me hace ilusión compartir mi gran descubrimiento por el simple hecho de que me ha cambiado la vida.

No me estoy refiriendo a que le dediques poemas de amor a tu filete, pero sí sabrás seguramente lo que es dejarte llevar por la pasión del momento y, ante algún plato que te gusta especialmente, darte un atracón que luego te pasa factura en forma de dolor de tripa u otras molestias.

Porque el arte de comer bien requiere de una preparación previa o de un entrenamiento. Y es que, como en el amor, las relaciones, sean del tipo que sean, hay que trabajárselas.

Solo un segundo, no más, pero párate y observa

Quizá te haya parecido siempre un chiste eso de tener que masticar como mínimo treinta veces cada bocado, pero la verdad es que tiene su explicación, por mucho que nos resistamos a ello. Tu cabeza ya estará haciendo cálculos matemáticos dividiendo los pocos minutos de que dispones para comer entre los segundos de atención que debes prestar a cada bocado, y concluirás que no te salen las cuentas y que no te puedes permitir tanto masticar… Pero te recuerdo una cosa: el estómago no tiene dientes.

Qué fácil serían las digestiones y cuánto ahorraría el mundo en antiácidos y protectores gástricos si nuestra atención estuviese puesta en lo que estamos comiendo y reparáramos en el acto de comer como un acto consciente, no como algo reflejo. Comer, no tragar. Porque, cuando nuestros padres o abuelos nos decían de niños que no engulléramos la comida, buscaban inculcarnos, ya desde la infancia, esa idea, la de que debíamos comer *pensando* en que comíamos, dándonos cuenta de que era eso precisamente lo que estábamos haciendo, y no otra cosa. Como ese sabio proverbio zen que dice: «Cuando camines, camina, y cuando comas, come».

Por eso se insiste tanto en que los niños no coman viendo la tele o la tableta, pues, al hacerlo, ya se los educa en la no atención.

Hagamos un ejercicio: fíjate bien, observa a tu alrededor y dime si hoy eres capaz de ver a alguien en un restaurante que no tenga el tenedor en una mano y el móvil en la otra, o que no se tome cualquier cosa delante del ordenador, algo que yo misma hice durante mucho tiempo en mi etapa empresarial. Pues bien, puedo asegurarte que esto termina por pasar factura en algún momento.

En las siguientes páginas te invito a probar una relación diferente con la comida, basada en la amabilidad, el disfrute, la armonía y el beneficio propio. Porque algo tan bello y que tanto placer aporta como la comida solo puede ser tu aliado. **Mi propósito no es otro que reivindicar tu salud y la felicidad que te produce comer.**

Piénsalo, **comer no solo es un acto de supervivencia.** Es una parte esencial de tu vida. Te lleva a tomar ni más ni menos que un mínimo de tres decisiones diarias a lo largo de cada día, lo que viene a suponer, como poco, alrededor de setenta mil decisiones de media en tu vida. Si las sumas a la cantidad de decisiones cotidianas de otra índole, ¡qué estrés!

Por eso, porque nuestra rutina diaria está llena de decisiones que tenemos que tomar a diario, no debemos permitir que la comida, el qué comemos o no, pase a convertirse, de un placer inicial, en una fuente más de estrés.

Y, sin embargo, por desgracia sí se ha transformado, desde hace décadas, en motivo de quebraderos de cabeza para muchos.

Si lo pensamos bien, resulta incluso insultante que nosotros, que tenemos nuestras necesidades básicas cubiertas, vivamos preocupados por nuestra alimentación, estresados por lo que vamos o no vamos a comer. De lo que se trata es de estar informados, de planificar y de saber realmente qué necesitamos. Cambiemos, de una vez por todas, esos hábitos inconscientes tan nocivos.

Disfrutemos de nuevo comiendo.

Una cuestión de actitud

Creo que comer es una actitud frente al mundo que te quieres formar a tu alrededor, por eso considero que hay dos formas de comer:

1) poniendo en automático el acto cotidiano de llevarse cualquier cosa a la boca, con la creencia de que así ahorras tiempo y energía —no es necesario que diga que esta manera me parece totalmente errónea—;
2) prestando atención a lo que necesitas y gozando de cada comida.

La decisión sobre cómo comer es individual, pero desde luego las consecuencias de la segunda forma son mucho más agradables y satisfactorias.

Necesitamos alimentos para sobrevivir. En países privilegiados como el nuestro damos por hecho que comeremos cada día, pero, si lo pensamos bien, usamos en muchas ocasiones el acto de comer con otros fines más allá de la mera alimentación: premiar, castigar, evadirse, ocultar otras emociones, gozar, celebrar, consumir, engordar, adelgazar, reafirmar ideales, etcétera.

Para mí, las comidas que elijo se han convertido en un acto diario de amor propio, un instrumento de reafirmación, no solo de lo que me gusta, sino de lo que me aporta coherencia, energía vital y me armoniza en todos los sentidos.

Y no por ello estoy todo el día pensando en comida.

Comer bien es la base de mi equilibrio y de mi salud. Y me apasiona la idea de compartir contigo todo lo que sé al respecto, porque, al igual que a mí me han inspirado y me siguen inspirando muchas personas, me gustaría poder contribuir con mis recetas a avivar esa chispa que nos hace un poco más felices por el simple hecho de contar con herramientas eficaces para sentirnos bien.

La comida, esa gran aliada

En realidad no soy dueña de recetas milagrosas ni de métodos infalibles para adelgazar o ser feliz. Soy un montón de vivencias marcadas con piel, de experiencias conscientes empujadas por un inconsciente muy curioso.

Soy intuición, movimiento, vitalidad, química y física.

Soy una mezcla simple y compleja de fuerza y de sensibilidad.

Pero he logrado equilibrar de forma sostenible todo esto que soy cuando he comprendido la belleza de comer.

Soy energía necesitada de un combustible óptimo. Igual que tú.

No voy a hablarte de dietas, sino de cómo desarrollar la capacidad que todos tenemos de llevar cambios a la práctica, cambios que nos ayuden a rendir al máximo de nuestras posibilidades y vivir nuestro potencial como personas.

Este no es un libro únicamente de comidas sanas ni tampoco un compendio de recetas fáciles o una recopilación de consejos sobre cómo debemos nutrirnos adecuadamente.

Mi intención es ir más allá de todo eso:

Aspiro a que este libro sea una forma de ver la comida en toda su belleza, aprovecharla como herramienta de exploración, como muestra de amor propio y de entusiasmo por la vida.

El escritor Michael Pollan declaraba en su libro *Cocinar: una historia natural de la transformación*[1] que «la comida nos civilizó y nos volvió salvajes de nuevo». Con esta frase se refería a la dudosa relación que mantenemos en la vida moderna con el acto de comer y con el proceso de cocinar.

Yo, en cambio, pienso que todavía estamos a tiempo de recuperar la magia que envuelve el acto de comer, y te invito

---

1. Publicado en español por la editorial Debate.

a que te unas a mí, a lo largo de estas páginas, en el camino de buscar de nuevo esa ilusión que sentíamos cuando éramos niños y nos encontrábamos ante un festín que intuíamos delicioso, pero con el sentido común de los adultos que, al tiempo, saben usar la mesura para alimentarse disfrutando de la comida, pero sin caer en excesos; alimentando sus sentidos, pero cuidando su cuerpo; recuperando el placer de comer, pero buscando aportar a su organismo energía y salud.

No puedo prometerte más años de vida por leer este libro, pero de lo que sí estoy segura es de que puedes experimentar grandes beneficios para tu salud si me acompañas en la aventura de disfrutar comiendo con sentido energético.

¿Te atreves?

Capítulo 2:
Por qué #soyenergía

La energía como expresión

Probablemente este libro habría empezado de una forma diferente de no haber existido la pandemia de la COVID-19. La realidad es que su germen, la semilla que ha dado pie a su nacimiento, tuvo su origen, también su desarrollo, en medio de una paradoja: el año 2019 fue una época especialmente viajera para mí, un reclamo a mi libertad interior. Podría decir que algo así como una liberación espiritual, una preparación —sin yo saberlo— a lo que estaba por venir. Pasé tres semanas de retiro en la India, adonde acudí voluntariamente para enriquecer mis tímidos conocimientos sobre el funcionamiento del cuerpo humano y sus reacciones ante los distintos alimentos.

No es que sintiese esa «llamada interior» de la que muchos hablan para viajar allí, tampoco estaba en mi lista de destinos preferentes a la hora de organizar mis vacaciones; simplemente un día la información de los programas de salud impartidos por el doctor Vignesh, en el Centro Sitaram Beach Retreat, en Kerala, llegó a mis manos a través de una persona muy querida,

Daniela Schifferstein, terapeuta especializada en medicina ayurvédica, con la que ya había coincidido años atrás en un retiro corto de yoga y ayurveda en Cáceres al que me había apuntado impulsivamente para ver si así bajaba un poco los niveles de estrés que arrastraba entonces.

La experiencia en Cáceres me había abierto el apetito por la medicina ayurvédica, de modo que, cuando Daniela me habló del viaje a la India, mi primera pregunta fue:

—¿Por qué hay que irse tan lejos para hacer este programa? ¿No se puede hacer por aquí y que salga más barato?

Ella, con toda su paciencia, me respondió:

—No tiene nada que ver, solo lo entenderás cuando estés allí.

Y, entre las diez razones de todo tipo que rápidamente encontré para no ir, apareció una con gran fuerza que me decía: «¡¿Y por qué no?!».

Pero, tengo que reconocerlo, esta es la demostración de que, cuando nace un deseo interior muy fuerte por hacer algo, mueves montañas en todos los planos de tu vida, incluida la financiación y la cobertura familiar, para poderte regalar por una vez en la vida una experiencia única… Porque, finalmente, pude conseguir mi propósito y terminé reservando, eso sí, con verdadero temblor, los billetes de avión.

Desde la primera semana empecé a notar tal impacto positivo en mi organismo, en mi piel, en mis emociones y en mi serenidad que entendí perfectamente por qué había que irse hasta allí y vivirlo *in situ*. Me acababa de hacer uno de los mayores regalos de mi vida.

Otro de los grandes retos que viví en Kerala fue el de enfrentarme a mí misma «encerrada» en una cabaña individual, día tras día, donde mi propia inercia y ansiedad por hacer mil cosas me jugaban malas pasadas.

Se trataba de un desafío constante, ahora más presente que nunca en mi conciencia. Pero recuerdo que entonces, a medida que iba adaptándome, pensaba: «¿Cómo voy a arreglármelas de nuevo cuando regrese al ritmo estresante de Madrid?». Quién me iba a decir entonces que mi casa en Madrid iba a convertirse pronto en la cabaña de Kerala, y que en ella tendría que volver a trabajar mi único y verdadero desafío personal, una tarea nada fácil a pesar de haber dedicado los últimos años de mi vida a formarme en el campo de la salud, a investigar, a cambiar mi forma de comer, y a entrenar y guiar a personas tanto en sus hábitos alimentarios como en vivir con mucha más atención.

La inercia nos empuja a sobrevivir en las grandes ciudades y nos lleva a mantener horarios imposibles, y, casi sin darnos cuenta, nos coloca de una forma sorprendente en una línea que desequilibra la salud.

Y no me refiero con esto a ponernos enfermos o coger virus o enfermedades graves, sino a esos pequeños *toques* que nos da el cuerpo, esas señales que significan «por ahí no», pero que, por falta de tiempo, ganas o atención, pasamos por alto, y que entonces pueden desencadenar un problema. El cuerpo siempre avisa antes: ya sea una mala digestión, un dolor de cabeza o un picor en la piel…

Venimos oyendo hablar desde hace décadas de la nutrición del cuerpo, de la mente y de las emociones como principio básico de la salud, algo así como una versión occidental de la medicina más milenaria del planeta. Pero nos sigue pareciendo el titular de un libro o de un artículo en la prensa más que una premisa real para vivir. Y creo que es porque no lo terminamos de entender bien.

Tengo que reconocer que, al menos a mí, antes de que mi cambio de vida me llevara a profundizar en todas estas cuestiones, este concepto de la nutrición de cuerpo, mente y emociones me sonaba al principio a que tenía que comer sano, visitar con frecuencia al psicólogo y aprender a meditar para cultivar la espiritualidad. Pero lo cierto es que no llegaba a entender el verdadero hilo conductor de estos tres ejes, un concepto igual de simple y complejo llamado energía.

Empecemos por conocer de qué estamos hechos

No soy quién para dar una definición científica del concepto de **energía universal**, algo que es latente y comprensible por todos, algo fácil de observar, por ejemplo, con el cambio de estaciones o el ciclo de vida de cualquier ser vivo y, por supuesto, de los seres humanos, que no somos una excepción en este sentido.

Resulta evidente que no sentimos la misma energía con diez años que con veinte, con cuarenta o con sesenta, y no me refiero solo a la cantidad de energía, sino a las sensaciones que esta nos provoca, del mismo modo que, si lo pensamos bien, no tenemos el mismo «tirón» a las once de la mañana que a las cuatro de la tarde o a las nueve de la noche...

⇨ En las siguientes páginas voy a tratar de explicarte, desde mi experiencia personal, los cambios de energía que he sido capaz de reconocer hasta hoy en mi organismo y los métodos que he ido aprendiendo para optimizar mi rendimiento al máximo, tanto en el ámbito físico como en mi concentración y en la forma de manejar mis emociones. También cómo he llegado al bello camino del disfrute y de qué herramientas me valgo para mantenerme en él. Porque desvíos hay siempre, pero, cuando se conoce el camino de regreso al centro, se vuelve por pura inercia.

Y, lo que es más impresionante todavía, cómo los cambios en mi relación con la comida han ido en sintonía con cambios de otra índole en mi vida. Porque, cuanto más ordenada he sido con mis menús y cuanto más atenta he estado a ellos, más enérgica me he sentido para afrontar proyectos vitales con éxito. Y, del mismo modo, cuanta más energía corporal he notado, mayor claridad y determinación en mis decisiones he sentido y observado.

Todo esto te lo voy a contar desde la creencia de que puede serte útil, sobre todo si te sucede que, como a mí y como a tantas otras personas, no te han explicado en la niñez una forma de relacionarte amablemente con la comida.

Yo ahora sé que la energía con la que hacemos cualquier cosa, y no el tiempo, es la clave para conseguir grandes resultados. Espero demostrarte en los epígrafes siguientes cómo hacer de ella, a través de la comida, tu aliada.

Agotados de subidones y bajones

Todas las culturas de la humanidad han adaptado siempre su gastronomía a los recursos naturales de su hábitat, también a la temperatura y a las crisis, tanto del medioambiente (tormentas, terremotos, etcétera) como a las provocadas por los seres humanos (guerras, etcétera), o a las necesidades energéticas de la población. Sin embargo, en nuestros días se ha perdido esta lógica. Hoy ya no mantenemos esta adaptabilidad y nos permitimos el lujo de comer a capricho. Así, tomamos helados en invierno y comemos productos propios de países que no tienen nada que ver con nuestra climatología cuando nos viene en gana, como kiwis y mangos en países fríos o anacardos de la India en Galicia: hemos perdido en el camino el sentido común energético de la alimentación.

Sin energía, está claro, no hay movimiento. Y sin el calor de una chispa, no surge la energía. Esa chispa es la clave para enfrentarnos al mundo con una actitud que nos favorezca. Esa chispa es también parte de una decisión exitosa: qué y cómo comer en cada etapa o circunstancia de nuestra vida.

Confieso que lo que más me ha animado a escribir este libro ha sido la cantidad de conversaciones que he mantenido con personas de todo tipo que me cuentan sus peleas constantes con la comida o se lamentan de la temida e incómoda falta de energía.

Puede que a ti también te resulten familiares frases como «No puedo con mi alma», «No sé qué comer», «Todo me sienta mal», «Soy una nulidad para la cocina», etcétera. O también que hayas escuchado más de una vez confesiones como «Me duermo delante del ordenador» o «Me arrastro por la mañana, me dan subidones de hiperactividad por la tarde y por la noche no puedo dormir».

Yo también me he sentido alguna vez así, hasta que comprendí que mis hábitos iban en dirección contraria a los ritmos naturales del cuerpo, conocidos como ritmos circadianos, y que regulan todas las funciones fisiológicas del organismo en un periodo de veinticuatro horas en función de la luz, de la hora y de los cambios de sensaciones que experimentamos a lo largo de un día.

Me empeñaba en hacerles poco caso, por lo que me resultaba humanamente imposible sentirme al máximo de energía cuando yo lo requería y, después, tener un descanso reparador durante la noche.

¿Cómo se arregla esto? Desde luego **no es cuestión de un día**, requiere de algunos ingredientes básicos como la **atención** y la **fuerza de voluntad**, pero, cuando se pone en marcha la intención, la diferencia es tan abismal que merece la pena.

Me detuve a pensar sobre todos estos subidones y bajones de energía y llegué a varias conclusiones: me di cuenta de que vengo de una generación que merendaba pan con chocolate o galletas maría, me daban miel con limón si me dolía la garganta y, en los cumpleaños, hacíamos tartas; y sí, es verdad, todas estas cosas, igual que las natillas o los deliciosos bizcochos caseros de mi abuela, llevaban azúcar.

Hoy nos bombardean con los efectos nefastos que el azúcar tiene para la salud, así como con el escandaloso uso abusivo que se hace de este en la industria alimentaria; sin embargo, mi reflexión va más allá de los números y de los gramos de miel que pongo en las tostadas de mis hijas, porque creo que «comer de todo» en la actualidad no debe ser entendido como comer «cualquier cosa».

Y es que también vengo de una generación que pasaba todas las tardes jugando a rescates y escondites, que entrenaba durante horas al tenis, que hacía *ballet* y atletismo, que iba y venía del cole andando, que comía lo que le ponían en la mesa de primero y de segundo y, sobre todo, que tomaba a diario una gran variedad de platos caseros cocinados a fuego lento, con los ingredientes que tocaban en cada época del año, sin rechistar. Porque todo estaba rico y sentaba bien.

No conocíamos el término «comida rápida», y mucho menos nos podíamos imaginar que unas pequeñas cajas de plástico rellenas de palabrejas como excipientes, aditivos, edulcorantes, potenciadores de sabor, etcétera, y encima calentadas con ondas, pudieran sustituir a las comidas de nuestras madres. Y tampoco soy tan mayor, ojo, que parece que estoy hablando de la prehistoria, pero esto ocurría hace solo unas décadas.

Lo que parece evidente, en todo caso, es que **las comidas no nos sientan tan bien como antes**, que el cansancio crónico es el mal que nos acecha y que, en la mayoría de los casos, no sabemos ni lo que estamos comiendo. De ahí que miremos la comida muchas veces como una amenaza.

Sin embargo, a todos nos gusta comer, y sobre todo nos gusta sentirnos pletóricos, con energía.

¿Cómo hemos pasado de considerar la comida una fuente de energía a verla casi como una amenaza?

Creo que ha llegado el momento de que nos detengamos a reflexionar un poco no solo sobre los alimentos, sino también sobre la energía.

El gusto de sentir que hay tirón

Cuando me paro a pensar de forma honesta en situaciones de mi vida en las que he sentido energía a raudales, se me ocurren algunos ejemplos con los que puede que también te sientas identificado:

- Al jugar y reír con mis hijas.
- Si duermo profundamente ocho horas.
- Al bailar.
- Cuando recibo una buena noticia.
- Al tomar una decisión difícil, pero acorde con lo que siento, eso me da un subidón.
- Si me viene a la cabeza alguna idea creativa (¿o es que me viene la idea porque tengo energía?).
- Cuando se me reconoce un trabajo que me ha costado mucho esfuerzo.
- Cuando trabajo en proyectos estimulantes.
- Con el sexo, pues sí.
- Cuando estoy cerca del mar o en lo alto de una montaña.
- Cuando cocino algo delicioso y encima me sienta bien.
- Al hacer ejercicio.
- Cuando viajo.
- Cuando veo una película u obra de teatro emocionante.
- Durante una buena charla con amigos.

Pero también he sentido falta de energía:

- Cuando le he dedicado más tiempo a mi trabajo que a mi vida personal.
- Cuando no he dormido lo suficiente.
- Cuando no he comido lo que necesitaba o, al contrario, si me he pasado comiendo.
- Cuando me he sentido tratada injustamente.
- Durante la crianza de mis hijas, cuando no lograba conciliarla bien con el trabajo.
- Cuando me he visto en medio de una discusión colérica.
- Ante una desilusión.
- Si estoy sentada o encerrada muchas horas.
- Cuando las preocupaciones han dominado mi cabeza.
- Ante la falta de contacto con la naturaleza.
- Cuando no consigo o no puedo expresar lo que deseo.

Ahora, con todo lo que he podido aprender sobre nutrición, al mirar atrás y relacionar las distintas etapas de mi vida con mis sensaciones energéticas y los alimentos que predominaban entonces, he comprendido lo condicionada que estaba mi actitud con relación al combustible de mi existencia. Es decir, según comía, así me sentía. Y al revés: basándome en si me sentía o no de cierta manera, comía en consecuencia.

Podríamos pensar con lógica que la energía nos la proporcionan los alimentos, pero no llegamos a profundizar lo suficiente en la relación que tiene una comida con nuestras sensaciones físicas, mentales y emocionales horas después. Es algo, de hecho, que puedes comprobar por tu cuenta: ¿nunca has reparado en que ciertas comidas, más que sumar, restan energía? No puedes casi ni moverte al terminar, o te cuesta concentrarte mucho más. Puede ser una cuestión de cantidad, es verdad, o de haberte pasado comiendo por falta de control…, pero lo cierto es que también puede ser una falta de calidad en los nutrientes elegidos.

Decidir sabiendo y saboreando

Una amiga me contó una vez una anécdota que me ha dado mucho que pensar, no solo respecto a cómo nos alimentamos, sino también respecto a las opciones de que disponemos para hacerlo: estaba en su oficina y se levantó de su silla dispuesta a picotear algo de la máquina que había en el pasillo. Tenía el típico bajón de media mañana, pero también el propósito de comer más sano.

Un propósito encomiable, ¿a que sí? Bien, pues se vio boicoteado nada más nacer: resulta que se pasó como diez minutos caminando de un lado a otro del pasillo debatiéndose entre coger alguna de las tentaciones disfrazadas de chocolate de la máquina o pasar de largo y desfallecer, hasta que finalmente optó por un refresco de cola sin azúcar para engañar el estómago y aguantar así las ganas de comer.

No sé a ti, a mí esto me parece un verdadero atentado contra la salud, como muchos otros disparates que hacemos todos los días. Es la lucha diaria entre la fuerza de voluntad mal orientada y el sentido común energético.

Y es, tal vez, una lucha que mi amiga hubiera podido vencer en ese momento si hubiera realizado un sencillo ejercicio: **prestar atención.**

Con los años he aprendido a prestar atención y reflexionar, con gusto, sobre los siguientes momentos y estados:

- Comemos sin hambre, ¿por qué?
- ¿Sabemos lo que sentimos cuando lo sentimos? ¿Es hambre o sueño? ¿Es sed? ¿Son nervios?
- ¿Sabemos escuchar las apetencias de nuestro cuerpo?
- ¿Nos detenemos a pensar a qué pueden deberse estas apetencias antes de asaltar la despensa?
- ¿Planificamos nuestras comidas y cenas teniendo en cuenta qué hemos comido durante la mañana o a lo largo del día, y qué necesidades tendremos al día siguiente?

En realidad sí sabemos algunos datos sobre la energía de los alimentos, pero no nos hemos parado a pensar en ello:

- Sabemos que después de un plato de cocido abundante nos entra un sopor enorme.
- Sabemos que un helado enfría.
- Sabemos que un café nos espabila un rato.
- Sabemos que una copa de vino se puede subir a la cabeza.

Y también sabemos, por ejemplo, identificar algunos ingredientes que nos causan dolor de estómago y otros que nos producen inflamación, pero lo más interesante desde mi punto de vista consiste no solo en algunos saberes concretos, como acabamos de ver, sino en un saber más general y, al mismo tiempo, práctico: **saber cómo utilizar la comida con un objetivo concreto.**

Y, para lograr nuestro objetivo con la comida, sea cual sea este, **lo primero que debemos aprender a identificar es aquello que sobra en el plato**, bien porque hace daño, porque impide una buena absorción de nutrientes o porque eso que sobra es lo que impide que, con esa comida, alcancemos el efecto que deseamos conseguir con ella.

Me han preguntado muchísimas veces qué comer en determinados momentos de la vida. Pero, en mi opinión, antes debemos **identificar lo que no hay que tomar.**

Porque, como le oí decir una vez a un maestro zen: «Conseguir algo depende de suprimir aquello que sobra».

Capítulo 3:
La norma del
equilibrio energético

Llamémosla la antidieta

Para poner atención de verdad en nuestra salud, debemos comenzar partiendo de una gran motivación; ese es el arranque que necesitamos. Por desgracia, en la mayoría de los casos que conozco, incluyendo el mío propio, cuando nos hemos animado a realizar cambios en nuestra alimentación, ha sido a raíz de un susto o una llamada de atención de nuestro cuerpo en su intento de pedir socorro, ya sea porque hay algún hábito que lo daña o porque se ha producido un desajuste importante en nuestra salud.

Sería un acto de sabiduría poder incorporar esta consciencia sobre nuestro cuerpo, cómo debemos cuidarlo y cómo la alimentación influye en este cuidado, desde la niñez; así desarrollaríamos gran inteligencia orgánica.

En mi caso, si hay algo que de verdad me ha ayudado a componer mis comidas de una forma sencilla, con la tranquilidad de que me nutro bien en todos los niveles, ha sido lo que me gusta llamar la **norma de los colores**.

Y es que, cuando en una comida, por sencilla que sea, se tienen en cuenta estos **CINCO puntos**, el nivel de satisfacción y de bienestar se multiplica. Se convierte en algo deseable para la vista, el olfato, el gusto, el estómago, la memoria y un buen tema de conversación. ¡Todo cuenta!

La norma de los colores

Se ocupa de cinco aspectos básicos:

1. variedad de colores;
2. variedad de texturas;
3. variedad de sabores;
4. variedad de nutrientes;
5. digestibilidad.

Detengámonos un poco en cada uno de ellos:

1. Variedad de colores

¿De verdad es tan importante el colorido de un plato?

Puede que te lo estés preguntando. Mi respuesta es, sin dudar: ¡SÍ!

Si ya es obvio que lo bonito entra por los ojos, cuando se trata de colores, el ser humano siente una especial atracción. ¿O me vas a decir que es lo mismo sentarse delante de un plato todo marrón que verse ante un plato repleto de colores vivos como el verde, el naranja, el amarillo, el rojo o el morado?

Por eso, a la hora de pensar en mi plato de comida, aplico la norma de los colores para intentar que haya algo verde, algo naranja y algo de otro color vistoso, como el rojo o el amarillo.

2. Variedad de texturas

Con las texturas sucede lo mismo. Si todo lo que tomase fuera cremoso, o blando, o aceitoso, o líquido, con certeza por la tarde ya estaría picoteando galletas o cosas crujientes, algo sólido que relajase mi mandíbula al masticar, que me llenase y saciase. Y, al contrario, si lo que como es muy seco, seguramente a media tarde saquearé el frigorífico en busca de yogures, mantequillas, helados o zumos, es decir, de alimentos líquidos y cremosos, persiguiendo precisamente algo que contrarrestase esa sequedad.

Sin embargo, si mi menú tiene de todo un poco en el plano sensorial, lo más probable es que durante las siguientes horas me sienta satisfecha y no sufra esos picos de hambre o sed, lo que me permitirá seguir con toda la atención puesta en las demás actividades del día.

Así pues, la conclusión lógica es que, sí, también es necesaria la variedad de texturas y la perfecta combinación de estas, a la vez que debemos huir de los excesos y evitar el «todo blando» o el «todo seco».

3. Variedad de sabores

Del mismo modo que con los colores y las texturas, como acabamos de ver, también debemos procurar que haya en nuestros platos una representación de todos los sabores (salado, picante, ácido, amargo y dulce).

Esta variedad tiene sentido y razón de ser porque así, probando todos los sabores, logramos no quedarnos con esa sensación en la boca de «me falta algo dulce o amargo» al terminar de comer, llámalo postre o café.

Para conseguirla, no es preciso que te embarques en complejas elaboraciones gastronómicas. Es mucho más sencillo, tan fácil como añadir:

- **Para el sabor *salado*:** un poco de sal marina en la cocción (también puedes probar con otras alternativas que fui conociendo con el tiempo, como la salsa tamari —una variedad de la conocida salsa de soja que se caracteriza por llevar en su composición muy poco o ningún trigo—, el miso o las algas de mar).
- **Para el sabor *picante*:** un poco de pimienta, ajo o jengibre.
- **Para el sabor *ácido*:** el toque de los cítricos (del limón, por ejemplo), o bien del vinagre más alcalino de todos (el de *umeboshi*, que es una variedad de ciruela cultivada tradicionalmente en Japón que suele encurtirse y usarse en numerosos platos, para hacer salsas, etcétera), o verduras naturales fermentadas (tipo chucrut).
- **Para el sabor *amargo*:** puedes recurrir al amargor de las verduras de hoja verde, como endibias, alcachofas o escarola.
- **Para el sabor *dulce*:** puedes lograr este sabor, el favorito de todos, de manera natural, a partir de una buena cebolla pochada; o también lo hallarás en las verduras de color naranja cocinadas (zanahoria, calabaza o boniato) o en las frutas secas.

⇨ Si te fijas, curiosamente, pensar en la regla de los colores te lleva directamente a las demás, o al revés: con la de los sabores o texturas, ya sale sola la de los colores.

4. Variedad de nutrientes

Pero, por supuesto, no basta con la variedad de colores, sabores y texturas. Es preciso que exista una variedad de nutrientes en nuestra alimentación, algo que se garantiza si aseguramos en nuestra dieta la presencia de:

- Proteínas de alto valor biológico, sean de origen animal (como los huevos, las carnes, los lácteos o los pescados) o de origen vegetal (como las legumbres).
- Hidratos de carbono de absorción lenta, que puedes encontrar en el arroz integral, la quinoa, el mijo, la avena, el trigo sarraceno, el cuscús o la espelta. También en tubérculos, como la patata y el boniato. Los hidratos de carbono simples, presentes en las frutas, la miel, el azúcar de caña y otros endulzantes naturales, deben representar un máximo de un 5 % de las calorías del día si lo que quieres es mantener niveles de azúcar en sangre estables, aunque dependerá de tus características y tu actividad física.
- Grasas buenas con moderación, empezando por nuestro aceite de oliva virgen, icono de la dieta mediterránea, pescados azules de pequeño tamaño, frutos secos, semillas, mantequilla clarificada y algún aguacate de vez en cuando en épocas de calor.
- Fibra, presente de forma natural en las verduras y en los cereales integrales.
- Vitaminas de las frutas y las verduras frescas de temporada.
- Minerales, de los que se componen gran parte de los alimentos, pero en especial los frutos secos y las algas.

5. Digestibilidad

El quinto punto tiene que ver con la digestibilidad de la comida, para lo cual es fundamental que elijamos, a la hora de preparar nuestros platos, sistemas de cocción simples, sin ornamentos ni salsas pesadas, fritos o abuso de refinados. Porque, si ya sabes que un rebozado te cae pesado o demasiado ajo te repite, ¿por qué insistes en prepararlos?

Ya sabes, el aparato digestivo es un lugar de consciencia. Atenderlo nos hace comprender desde cómo somos hasta las decisiones que tomamos.

Lo que conocemos como «tripas» es en realidad un «cerebro», que posee numerosas similitudes bioquímicas y celulares con el cerebro craneal. Puede que no piense como este, pero sí parece saber y percibir intuitivamente. La ventaja que tenemos hoy es que podemos alimentarnos terapéuticamente y con consciencia sin perder el placer de comer.

Así es mi combustible, así es mi energía

Llegar a entender la relación causa-efecto de los alimentos en el organismo, y familiarizarse con ella, es el mejor regalo que podemos hacernos, en mi opinión. Con esto no me refiero a que todos tengamos que formarnos en profundidad en este campo, como decidí hacer yo, eso es algo personal, pero sí al menos a que todos podamos adquirir información veraz sobre cómo funciona esta relación para que nosotros mismos podamos llevar, hasta cierto punto, las riendas de nuestra salud.

Tengo que reconocer que a mí esto es lo que me ha resultado más interesante de mi formación: poder saber distinguir entre los alimentos que me enfrían o que me calientan; cuáles me facilitan una digestión rápida y una nutrición completa o cuáles simplemente me llenan el estómago dejándome el cuerpo más cansado; qué alimentos me estresan y alteran mi sistema nervioso o me relajan o, también, qué combinaciones de alimentos me hinchan o cuáles activan mi metabolismo.

La clasificación energética de los alimentos

Se suele hablar de una ley universal en la que dos tipos de energías extremas se buscan y complementan: lo blando con lo duro, lo líquido con lo seco, lo frío con lo caliente, el yin y el yang. Pues bien, dentro de esta dinámica, los alimentos tienen su propia energía y, por tanto, cuando interaccionan con la nuestra, se produce un efecto.

En un extremo se encuentran los alimentos de naturaleza caliente, densa y lenta, y en el otro, los de energía fría, de apertura y vibraciones rápidas. El mundo en el que vivimos nos ha conducido a jugar constantemente con los extremos y, de alguna manera, como el cuerpo es sabio y busca el equilibrio, si tomamos un bistec con patatas fritas, esto nos va a llevar automáticamente a compensar esa energía salada, densa y caliente con algún vino o postre fresco y azucarado.

Esto lo sabe la industria —aunque no le interese contarlo—, y por eso los combos de comida rápida, o las palomitas del cine, van siempre acompañados de un refresco frío y edulcorado.

La alarma salta cuando se abusa de estos extremos y se hace

de ellos un hábito cotidiano, pues en ambos extremos hay alimentos que tienden a acidificar el pH de nuestra sangre, nos desmineralizan con el tiempo y, sobre todo, nos llevan a instalarnos en una inestabilidad energética y emocional. Son esos bucles de los que tanto cuesta salir y en los que es tan fácil caer.

¿A que seguro que te suena, y es casi como un acto reflejo, que, si tomas una bolsa de patatas, sueles hacerlo acompañándola de un refresco de cola? ¿Lo ves?, ¡ahí tienes uno de esos bucles!

O, si tomas mucha carne roja o embutido, ¿no te «pide el cuerpo» después que en el postre sí o sí tomes chocolate, helado o galletas? ¡Ahí lo tienes! ¡Has caído en otro bucle!

A continuación, reproduzco un esquema que dibujé para familiarizarme con la naturaleza de los alimentos y buscar el efecto deseado en mí. Lo puse en la puerta de mi nevera y durante muchos años se lo he recomendado a muchos pacientes, con buenos resultados.

Lo ideal, en cualquier caso, es dirigir nuestra atención hacia la parte central del esquema, que es donde predominan los alimentos de naturaleza más neutra y estable, como el pescado salvaje, los cereales integrales, las verduras y las frutas de temporada, las algas, los aceites de calidad y los frutos secos. Esto debería ser una pauta general, si bien conviene estudiar el caso particular de la persona, pues es preciso recordar que muchos aspectos específicos de su dieta dependerán de sus características físicas, de su condición energética e, incluso, de su estado emocional en cada momento. También de posibles dolencias, intolerancias o alergias, de su historial alimenticio, etcétera.

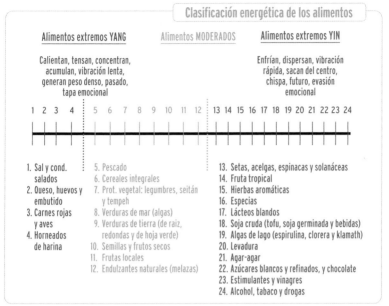

Fuentes: *Revitalízate. Las mejores recetas de la cocina energética*, del doctor Jorge Pérez Calvo,
y *Alquimia en la cocina*, de Montse Bradford.

El sentido común hace milagros

Puede que ahora te estés preguntando qué hay de todas esas teorías que hablan de no mezclar proteínas con hidratos, o si debemos comer carne, o en qué proporción tomar los distintos nutrientes, etcétera.

Bien, la misión de este libro no es convencerte de nada que no esté explicado ya por biólogos, nutricionistas, neurólogos o expertos en materia de salud y medioambiente. De hecho, sabrás que existen posturas algo contradictorias entre sí, desde el conocido como «Estudio de China», de Colin Campbell, que apoya la dieta basada en cereales y vegetales y demoniza las proteínas animales, hasta el llamado «Cerebro de Pan», de

COME PARA COMERTE EL MUNDO

David Perlmutter, que demuestra el efecto nefasto de los carbohidratos en el cerebro.

Pero de lo que sí puedo hablarte es de las herramientas que en mi proceso de investigación me han parecido más razonables y que han demostrado ser eficaces cuando las he probado. Además de hacerme un estudio de nutrigenómica, que me proporcionó información valiosa sobre mi genoma y la capacidad de asimilación que tengo de cada nutriente, he observado y analizado con detenimiento tanto mis necesidades energéticas (y no calóricas) como las de numerosos pacientes que acudieron durante años a mi consulta de naturopatía. Y el resultado es la fórmula que hoy me sienta mejor: la de **comer con sentido común energético.**

Puede parecer demasiado sencilla, incluso básica, pero simplemente he descubierto que no existen fórmulas milagrosas, sino constancia y conocimiento bien aplicado a mis necesidades. Y esto no es otra cosa que saber diferenciar entre los alimentos que te activan, los que te relajan, los que te enfrían, te calientan o te ayudan a mejorar tu ánimo.

Gracias a esta dieta, «La Milagrosa Dieta del Sentido Común», hoy me siento mejor que nunca, porque:

- me nutre,
- digiero bien y
- me mantiene con la energía y las defensas altas de forma sostenible.

Lo mismo que comparto mis descubrimientos en materia de nutrición energética, te cuento que soy una convencida de la propuesta que hace la Universidad de Harvard sobre la repartición de los alimentos en la dieta, y que, curiosamente, coincide con el criterio de la medicina tradicional china del que hablaremos en las próximas páginas.

Contenidos y proporciones del plato de Harvard

Usar aceites vegetales de calidad, dándole protagonismo al aceite de oliva virgen, seguido de aceites de primera presión de sésamo, lino, girasol alto oleico y, de forma muy ocasional y moderada, aceite de coco virgen. Evitar grasas saturadas e hidrogenadas (margarinas, tocino, quesos y embutidos grasos).

ACEITE

AGUA

Hidratarse bien con agua filtrada e infusiones de hierbas, evitando el consumo de bebidas azucaradas o zumos industriales. Limitar estimulantes y productos lácteos a 1-2 al día, y siempre y cuando se toleren bien.

La mitad del plato la ocupan las verduras de temporada, que aseguran el máximo de vitalidad, vitaminas y minerales. La fruta entra también en este apartado, con al menos 2 piezas al día, aunque se digiere mejor entre horas. Las patatas no entran en este grupo.

VEGETALES

GRANOS INTEGRALES

PROTEÍNAS

FRUTA

Representan una cuarta parte del plato los cereales como el trigo integral, la cebada, los granos de trigo sarraceno, la quinoa, la avena, el arroz integral, y las comidas preparadas con estos ingredientes, como la pasta de trigo integral o los panes de calidad con semillas.

Otra cuarta parte del plato la ocupan las proteínas, que pueden ser de origen **animal** (pescado y pollo principalmente, y carnes rojas no procesadas con moderación) o **vegetal** (legumbres y frutos secos).

ACTIVIDAD FÍSICA

60 minutos diarios de actividad física de intensidad moderada y adaptada a la persona aportan grandes beneficios para la salud.

El plato de Harvard propone:

- darles la **mitad** del protagonismo del menú a los vegetales de temporada;
- darles un **cuarto** a las proteínas de calidad;
- darles el **cuarto** restante a los granos y las semillas integrales;
- sin olvidar, por supuesto, un aporte moderado de grasas insaturadas y una buena hidratación.

Habrá gente que necesite comer pescado, huevos, lácteos o incluso algo de carne ecológica de vez en cuando, y habrá gente que no lo necesite porque sabe llevar una dieta vegetariana bien equilibrada con proteínas de origen vegetal, o incluso quien no tolere cantidades grandes de cereal, pero lo que sí parece estar claro para todos es que, cuanto más predominen los vegetales naturales sobre el resto, y mejor combinemos grasas, proteínas y carbohidratos, mayor será nuestro rendimiento energético y, por tanto, mejor estará nuestra salud.

Esto, unido a un mayor conocimiento y sentido común energético de los alimentos, nos provee del arma más poderosa de la que podemos disponer en nuestra vida: la comida. Y encima es una fuente de placer.

¿Ves ahora por qué es tan bello comer?

La energía en los diferentes momentos del día

En un mundo ideal, los temidos bajones de energía de media mañana o media tarde no existen. Pero en nuestro mundo sí que los hay, y seguirán existiendo si comes lo que no necesitas, ignoras tu verdadera gasolina, duermes menos que las hormigas, sales poco al campo y te espabilas a base de cafés. Pobrecito cuerpo, y ni te cuento cómo andará el sistema nervioso. Bajones y subidones constantes, de un extremo a otro todo el día, ¡y luego nos quejamos de vivir en una sociedad intoxicada y maldecida por el cansancio crónico!

Lo que es una verdad como un templo es que nuestro organismo está sometido a ciclos biológicos que tienen que ver con las horas del día, por eso nuestras sensaciones son diferentes por la mañana, por la tarde y por la noche. En ese mundo ideal, pero no imposible, nos mantendríamos con una energía constante y sostenible durante prácticamente todo el día, hasta que, al caer la tarde, regresáramos al estado de descanso y recarga con el fin de volver a empezar plenos de energía al día siguiente. ¿Quién no quiere esa vida?

En la época en que practicaba taichí con regularidad, leía sobre las diferentes manifestaciones de la energía en nuestros órganos vitales, y me llamó mucho la atención cómo la medicina tradicional china (MTC) relaciona los diferentes momentos del día con una serie de órganos vitales tomando como base la teoría astrológica de los cinco elementos: agua, tierra, aire, madera y metal. Lo interesante es que, cuando adquieres conciencia del ritmo natural del cuerpo, se maximiza el potencial del organismo para regenerarse y funcionar a pleno rendimiento. Es algo que se nota enseguida, no hay que explicarlo mucho, simplemente probarlo. Por poner ejemplos, el libro *Tai Chi Fa Jin*, de Mantak Chia y Andrew Jan, recoge cómo la MTC habla de las siguientes franjas horarias en el plano energético y su relación con nuestro organismo:

- Entre las 5 y las 7 de la mañana sería la hora del intestino grueso, de la conciencia, de la percepción y la comprensión de la energía, por eso de que venimos del mundo de los sueños. Sería el momento biológicamente ideal para evacuar. Los expertos en meditación también recomiendan realizar estiramientos y ejercicios de respiración para despertar el cuerpo con cariño.

- Entre las 7 y las 9 de la mañana es el tiempo del estómago, los jugos digestivos están preparados para su alimento, idealmente cocinado, alcalino y suave.

- De las 9 a las 11 de la mañana es la hora del bazo, un momento ideal para estudiar o realizar tareas difíciles.

- De las 11 de la mañana a la 1 de la tarde es la hora del corazón, un perfecto momento para explorar y poner en práctica la creatividad.

- Desde la 1 hasta las 3 de la tarde es el tiempo del intestino delgado, y también el tiempo para tomar alimentos nutritivos, evitando aquellos que carecen de energía, como los procesados. Lo ideal es descansar un poco después de comer; sería suficiente con tener unos minutos de calma y silencio.

- De las 3 a las 5 de la tarde es la hora de la vejiga y de las 5 a las 7 es la hora del riñón, y toda esta franja de tarde está muy relacionada con la energía que nutre la mente y determina la fuerza de voluntad. Y esto te va a gustar: es el mejor momento para conectar con nuestra energía sexual o hacer algún ejercicio que limpie el cuerpo de la sobrecarga y las emociones negativas del día.

- De 7 de la tarde a 9 de la noche es la hora del pericardio, el momento de buscar un entorno que proteja el corazón, como relajarse en casa con la familia o amigos, disfrutando de una cena ligera.

- De 9 a 11 de la noche es el tiempo de prepararse para dormir, realizando actividades tranquilas como leer, escuchar música relajante o darse un baño caliente. A esas horas, ver la tele, contestar mensajes o hacer ejercicio son actividades que requieren demasiada energía de activación y que pueden espabilar excesivamente la mente.

- De 11 de la noche a 5 de la mañana lo ideal es estar dormido profundamente. Es el momento de reparación de todo el organismo, especialmente del hígado y de los pulmones.

⇨ Ya lo sé, estarás pensando después de leer esto que ese horario parece una utopía, pues nuestro estilo de vida occidental consiste en hacer más de lo que somos capaces de hacer, viviendo con prisas, saltándonos comidas, acostándonos tarde, sobreactivando la mente con la tecnología y forzándonos en todos los aspectos. En definitiva, vamos a nuestro rollo, separándonos cada vez más de las fuerzas universales, perdiéndonos la oportunidad de sacarnos el máximo partido energético y, lo que suena peor, envejeciendo antes y enfermando.

Aun así, estoy convencida de que no está todo perdido. También de que, con un poco de atención, día a día se puede mejorar bastante nuestra calidad de vida, aplicando el sentido común energético del cuerpo y de los alimentos.

Así que ¡manos a la obra!, te voy a contar cómo empecé yo a experimentar cambios en positivo.

El reloj que llevas dentro tiene sus propias necesidades

Por la mañana

«Despiértame despacito, por favor...» Esto es lo que diría nuestro estómago si nos hablase.

Durante años tomé un kiwi nada más levantarme, por eso

de que contiene mucha vitamina C y quería evitar resfriarme. Lo hacía por defecto, casi sin pensar, con la mente puesta en mi salud, en la prevención de los resfriados, pero sin pararme a observar si le sentaba bien a mi estómago o si, al mezclar esta fruta con los cereales, la fermentación producida me hinchaba la tripa, o si su energía hacía que mis manos estuviesen frías toda la mañana.

Simplemente tenemos que detenernos un momento, pensar, aplicar el sentido común y hacer la prueba de experimentar la diferencia: porque, si lo pensamos bien, tomar nada más levantarse bebidas frías de nevera, o muy ácidas, como el zumo de naranja, o frutas tropicales en invierno, o cafés cargados, o embutidos y quesos, o pasar directamente de la cama a la bollería es como darle una patada inesperada al pobre estómago.

No digo que un rato después, cuando ya ha pasado un cierto tiempo desde que nos hemos despertado, no sea posible digerir algunos de estos alimentos (aunque mi recomendación de desayuno sería otra), pero a lo que me refiero es a que la lógica (y nuestro propio organismo) nos dice que la forma de activar el aparato digestivo tras unas horas de ayuno propiciadas por el sueño ha de pasar por empezar el día tomando bebidas templadas, suaves y alcalinas, acompañadas de texturas cremosas y alimentos «vivos» que activen nuestras enzimas digestivas.

Y, dependiendo de la estación del año y las sensaciones al levantarnos, también debemos optar por alimentos coherentes. Es decir, adecuados a la estación en la que estamos.

→ Algunos de los *despertadores* favoritos del aparato digestivo suelen ser estos:

• agua templada con limón, por su efecto alcalinizante;
• té verde japonés tostado, conocido como té kukicha;
• infusiones de comino, hinojo, cardamomo, canela, jengibre…;
• fruta de temporada y a temperatura ambiente;
• cremas caseras de cereales completos (avena, trigo sarraceno o arroz integral), con leche y canela, calentitas, cremosas y mucho mejor si pueden ser con leche vegetal (menos de soja);
• con menor frecuencia, pan de masa madre y semillas con aceite de oliva virgen extra, un tercio de aguacate maduro con limón o mantequilla clarificada, muy típica en la India (llamada «ghee») y que también encontramos en mercados de comida saludable de nuestro país.

→ Y después, preparamos un desayuno equilibrado y adaptado a cada persona.

Ya verás como, con estos alimentos, tu estómago sonreirá y te dirá: «Gracias por tus mimos, así puedo responderte bien el resto del día».

⇨ Recuerda: si la digestión dilapida tu energía, pierdes tu vitalidad y capacidad de rendir.

Entre horas

Cuando realizamos comidas completas y los nutrientes se absorben correctamente en el intestino, no solemos sentir hambre en las horas que transcurren entre las comidas principales del día; tampoco hay gases ni inflamación, y nuestro nivel de vitalidad no experimenta grandes oscilaciones.

Pero no siempre ocurre que nuestras comidas sean completas y bien equilibradas, y, además, cada metabolismo es un mundo y cada día una aventura.

Por eso, la mejor forma de hacer desaparecer los ataques de hambre entre horas es comiendo buenos alimentos en las comidas principales, sin olvidar que, **cuanto más frescos y menos manipulados estén, más abundantes son en enzimas.**

• Las **enzimas** son proteínas que controlan todas las reacciones químicas del cuerpo, y están presentes en todo lo que está vivo, también en lo que comemos. Nos ayudan en el proceso de digestión y poseen una enorme variedad de funciones, como sintetizar las grasas, los aminoácidos o degradar los azúcares.

Una dieta a base de alimentos oxidados y procesados provoca siempre una carencia de nutrientes. Y la falta de nutrientes, especialmente de minerales y vitaminas, es lo que lleva al cuerpo al «ansia de enzimas» y a los bajones constantes de energía.

• Además, contamos con una hormona responsable del **control de la saciedad.** Se llama **leptina,** se encuentra en el tejido adiposo y es secretada por la sangre, por donde viaja al cerebro liberando la orden de disminución del apetito. Se ha comprobado que hay un gen que activa esta hormona en algunas personas más rápido que en otras.

La necesidad que tenemos de comer entre horas es muy relativa, pues depende de cada persona, y variará también siempre en función de su **gasto energético** y de la **calidad de sus comidas principales.**

En mi experiencia he podido observar que a una gran mayoría de personas —ya sean de metabolismo rápido, activas, diabéticas, con aparatos digestivos delicados, e incluso aquellas con metabolismo lento a las que les cuesta digerir grandes cantidades de comida— les beneficia la rutina de las cuatro o cinco comidas al día en cantidades pequeñas, mientras que un grupo minoritario funciona perfectamente con tres comidas bien hechas al día y solo ingesta de líquido entre horas. Más bien deberíamos tender todos a eso, a preocuparnos de hacer bien las tres comidas del día, y dedicar nuestra concentración a rendir en otras tareas el resto de la jornada.

El problema, a mi parecer, es que no nos han educado correctamente en este sentido y venimos de comer de una forma descontrolada menús carentes de calidad nutricional y alimentos en gran parte desvitalizados; por eso se ha extendido como algo normal notar bajones en algunos momentos del día o tener digestiones difíciles debido a la cantidad de aditivos irreconocibles por nuestro sistema inmunitario.

Soy de la opinión de que **no hay que obligarse a comer cuando no se tiene hambre,** ni tampoco **aguantar la sensación de vacío por miedo a coger peso.** Nada como **escuchar al cuerpo** y preguntarse si de verdad esa sensación viene de un vacío de estómago o está impulsada por una carencia emocional, lo que llaman «el hambre de corazón».

→ Si es lo primero, si sentimos un auténtico vacío de estómago, podemos resolverlo tomando tentempiés naturales.

→ Si es lo segundo, si lo que tenemos es «hambre de corazón», debemos atender a nuestro sistema nervioso con actividades relajantes o placenteras, como pasear, escuchar música, hacer ejercicio, reírse con los amigos o realizar trabajos manuales que entretengan y relajen.

Claro está que hay circunstancias para todo, por eso ayuda disponer de buenas alternativas de **tentempiés naturales**, que no quiten el hambre de las comidas principales, pero sí calmen los posibles bajones de energía entre horas.

Estos son algunos de mis tentempiés favoritos:

Cuando tengo frío

Para beber:

• infusiones de jengibre, tomillo o romero,
• té de corteza de limón,
• té matcha con leche de avena,
• bebida de leche de arroz con algarroba y canela,
• sopa miso.

Para comer:

• porridge o gachas de avena con leche de avena y canela,
• crema de desayuno con arroz integral o mijo,
• un par de galletas de avena integral horneadas,
• una rebanada de pan integral recién horneado con aceite de oliva.

Cuando tengo calor

Para beber:

- licuado de frutas y hortalizas de temporada,
- infusión de menta,
- limonada natural con sirope de agave,
- batido de frutas con leche de coco.

Para comer:

- fruta de temporada con un puñado de almendras crudas,
- crudités de zanahoria y apio con paté de legumbres,
- tostada integral con aguacate, aceite de oliva virgen y limón,
- kéfir de cabra con muesli o fruta tipo kiwi, papaya, coco…

Si estoy cansada, floja y necesito activarme

Para beber:

- té matcha con leche vegetal: de avena, almendras o arroz,
- té verde japonés kukicha,
- café de cereales,
- batido de plátano, açaí (unas bayas extremadamente ricas en nutrientes y oxidantes con grandes propiedades antienvejecimiento) y maca (un tubérculo de origen andino considerado por muchos un superalimento, pues es muy rico en minerales; se suele presentar en polvo y se encuentra hoy en día en cualquier herboristería) en polvo, con leche vegetal.

Para comer:

- tostada integral con aceite de oliva virgen y una pizca de sal marina (si el desayuno hubiese sido escaso, añadir huevo cocido o jamón ibérico);

- tostada integral con mantequilla clarificada («ghee») y un poco de miel con jalea real;
- un puñado de nueces, castañas o almendras tostadas con tres o cuatro dátiles u orejones;
- batido de frutas, leche de avena, cacao y maca.

Si estoy nerviosa, acelerada y necesito relajarme
Para beber:
- té rooibos con vainilla,
- infusiones de manzanilla, tila o melisa,
- zumo de manzana templado,
- leche de avena templada con cardamomo y canela.

Para comer:
- tostada integral con mermelada de calabaza o boniato,
- compota de pera templada sin azúcar,
- manzana al horno sin azúcar,
- avena en *porridge* o gachas o galletas caseras sin azúcar.

A mediodía
En mi caso, en vez de pensar en un menú para la semana, como no sé qué apetencias o necesidades reales voy a tener del lunes al viernes, lo que suelo hacer es dejar hecho siempre un par de «comodines» en la nevera, normalmente un cereal cocido, tipo arroz, pasta integral o quinoa, y un caldo base o puré de verduras. Ya habrá tiempo para sofisticaciones el fin de semana o algún otro día especial. Tenemos que ser prácticos entre semana, sin dejar de nutrirnos al completo.

De esta manera, me resulta más fácil componer la comida

de mediodía aplicando los **cinco puntos del equilibrio energético** que comentaba al principio de este capítulo, que son, para no olvidarnos:

1. algo naranja o amarillo, algo verde, algo rojo o morado y algo blanco;
2. algo cocinado, algo fresco, algo líquido/cremoso, algo seco/crujiente, algo graso;
3. una proteína, un carbohidrato completo;
4. un aporte pequeño de grasas buenas;
5. variedad de vitaminas y minerales en los colorines.
→ Y como **extras**, alguna vez refuerzo con algas marinas, semillas, frutos secos, levadura nutricional y algún germinado o fermentado.

Lo mismo cuando se come fuera de casa: se puede recurrir a cosas sencillas y, si no hay cereal, entonces puedes apoyarte en las proteínas más limpias con verduras de temporada y un buen pan de semillas.

⇨ Eso sí, ¡sin postre!, y terminando con una infusión digestiva que deje un buen sabor de boca, tipo manzanilla con anís, hinojo, menta o hierbabuena.

Hay dos puntos que se han de considerar cuando se come a mediodía:

Uno: preguntarnos cuánta hambre tenemos del 1 al 10, para responderla con sinceridad y comer en consecuencia.

Llegar a la sensación de lleno, pero sin pasarse, es importante.

Por ejemplo, si almuerzo solo una ensalada con una proteína, sé que al rato tendré hambre y por la noche buscaré compensar lo incompleto del día. Aunque, si me paso, daré con el efecto contrario y me encontraré pesada, hinchada y de mal humor.

Así pues, lo recomendable es que intentemos quedarnos entre el 8 y el 9.

Dos: observar la comida que tenemos delante e imaginárnosla en nuestro estómago pasados unos minutos, no con cara de locos, porque nuestros compañeros pueden asustarse, pero sí disimuladamente haciendo un repaso mental de lo que nos disponemos a comer y las posibles reacciones que experimentaremos una hora después, sabiendo que la digestión posterior afectará en mayor o menor medida a nuestro estado de ánimo y nuestra concentración.

⇨ **Recuerda que después de comer debes sentirte mucho mejor que antes de haber comido, y no al revés.**

A media tarde

Cuando la comida de mediodía es completa, lo normal es no sentir hambre por las tardes. Más bien deberíamos hidratarnos con bebidas templadas y planificar una cena temprana.

Si esto no fuese posible alguna vez, si atacase el hambre o si el gasto energético fuese alto, por ejemplo, debido a la realización de actividades deportivas, se puede recurrir a alguno de los tentempiés que he incluido en el listado de media mañana, preferentemente a los elaborados con frutas, semillas o compotas.

Por la noche

¡La de veces que hablamos los frikis de la salud de la importancia de cenar temprano y lo que nos cuesta hacerlo incluso a nosotros mismos!

No voy a engañar a nadie ni a echarle la culpa a la cultura latina ni a las horas de luz ni a la agenda laboral. Es de las cosas más difíciles de cumplir, pero también he podido comprobar en diferentes etapas de mi vida que, cuando ceno temprano, la diferencia en bienestar y energía al día siguiente es abismal.

En cuanto a la composición de la cena en sí, depende una vez más de las características y las necesidades energéticas de la persona: no es lo mismo una mujer de cuarenta y cinco años que un hombre de treinta y dos o un niño de diez.

Con todo, una fórmula que suele funcionar bien para la gran mayoría de las personas es aquella que incluye los ingredientes y los sistemas de cocción que contribuyen a relajar el sistema nervioso, como es el caso de las verduras de raíz, las de color naranja, como las zanahorias, y las de sabor dulce, como la cebolla, en diferentes formatos: sopas, cremas, vapor, horno, etcétera.

- Por la noche se deberían evitar platos fuertes, muy salados, grasientos o muy dulces, porque pueden impedir un buen descanso.
- Las proteínas deben ser ligeras, a ser posible de origen vegetal o pescados blancos.
- Y el carbohidrato dependerá de lo que se haya comido durante el día.

- Aunque, si hay mucha hambre, la experiencia me dice que es mejor añadir una montañita de arroz integral o quinoa a la proteína antes que tomar pan o galletas de postre.

→ Y por proteína vegetal NO entendamos las lentejas con chorizo del domingo, por favor. Puede ser la sopa de verduras o el puré que lleva un puñado de lentejas rojas, puede ser el paté de garbanzos o un tofu o su primo hermano, el conocido como «tempeh», cocinado al horno.

Tanto el tofu como el tempeh son productos fermentados de legumbres como la soja o los garbanzos, y cada vez son más populares en los comercios ecológicos y de comida saludable por su alto aporte proteico. De ellos hay que saber que deben ser cocinados durante más de veinte minutos para que podamos digerirlos correctamente (¡son legumbres!) y preferiblemente junto a verduras sabrosas para que así puedan impregnarse de sus sabores intensos y apetecibles, porque por sí mismos pueden resultar insulsos.

… Y, como seguimos jugando con los colores, nos faltaría algo de color verde, primordial en la cena si lo que se quiere es regular el tránsito intestinal: podemos integrar el verde en la receta de la sopa o como proteína, o bien como acompañamiento en forma de brócoli hervido, judías verdes, espárragos trigueros, calabacines, puerros, alcachofas o espinacas, por ejemplo.

También es bueno que recuerdes que, si una noche sales a cenar y te das el gusto de deleitarte con platos algo más estrafalarios, puedes hacerlo. No debes negarte a disfrutar: simplemente prueba un poco de todo y controla la cantidad, haciéndote esas dos preguntas que te proponía varias páginas atrás. Termina con una infusión digestiva, un paseo antes de dormir y aplica la norma del centro energético que te cuento a continuación.

⇨ Por cierto, no olvides también que hay sabores que calman el impulso de seguir comiendo incluso cuando ya se ha terminado la comida: menta, regaliz, jengibre…
⇨ Otro buen truco es lavarse los dientes inmediatamente después de terminar, o tomar un caramelo sin azúcar para calmar la garganta.

La estrategia de volver al centro energético, al equilibrio

La práctica de disciplinas orientales me ha enseñado a maximizar mi energía desde el interior, desde el *dan tien*, la parte baja del vientre donde se concentra toda nuestra energía corporal.

Para hacerlo fácil de entender, estar centrados en nuestras acciones requiere de un entrenamiento constante de la pared abdominal, la sensación de «apretarse» por dentro fortalece la mente, el vigor, la energía, etcétera. Curiosamente, por otro lado se habla mucho estos días de la conexión entre nuestras tripas y nuestras emociones, y de que la salud depende de las bacterias que habitan en el intestino.

Y, si no crees en esta conexión, detente a pensar en esos días que notas el vientre revuelto, blando o hinchado y cómo no estás en tu salsa a la hora de realizar cualquier actividad.

Lo cierto es que la vida es un camino largo lleno de acontecimientos y no siempre nos sentimos igual, por eso debemos estar lo más preparados posible para, en esos desajustes, saber cómo **volver al centro**, es decir, a nuestro equilibrio energético.

Volver al centro significa:

1. Ir al baño cada día, regular nuestro tránsito intestinal diario y en la misma franja horaria.
2. Recuperar horarios más o menos fijos de comidas.
3. Comer solo teniendo hambre, es decir:
   - Si no se tiene hambre para merendar, no se merienda, se toma una infusión.
   - Si se tiene poco apetito a mediodía, comer lo que el cuerpo pida, algo ligero, suave para la digestión y calentito para reconfortar.
   - Si se tiene mucho apetito, comer despacio y un plato con presencia de todos los nutrientes y texturas.
4. Cocinar y disfrutar de comidas sencillas, sabrosas y bien equilibradas.
5. Saber parar de comer antes de llegar al nivel 10 de saciedad.
6. Dedicar al menos una hora al día a moverse: pasear, bailar, meditar, entrenar la musculatura, estirar, etcétera.
7. Dormir profundamente y despertarse con una sensación «reparadora».
8. Terminar una tarea empezada (un logro al día).

Si le damos al cuerpo los alimentos convenientes, él hará lo correcto.
Si lo intoxicamos, se defenderá.

Es nuestra elección de cada día. Nuestra mayor responsabilidad.

Y, como todo en la vida, esa vuelta al centro requiere de un entrenamiento diario, porque incluso una persona como yo, que he dedicado mucho tiempo a estudiar, entender y reconocer los efectos de los alimentos en mi equilibrio, que soy plenamente consciente de cómo el descanso, el ejercicio físico y la comida equilibrada potencian mis capacidades, puedo despistarme y alejarme del centro simplemente por falta de entusiasmo, cansancio o estrés.

Me doy cuenta de ello cuando de repente me veo tomando más ensaladas de la cuenta o más tostadas de arroz inflado con chocolate, o cuando me encuentro poniéndome excusas para no entrenar. ¡ALERTA! Es una clara señal del debilitamiento de los riñones y de una posible inflamación del intestino…

Y es que el estrés se sabe de memoria el camino por donde atacar. Justo ahí es cuando más necesito reforzar mis autocuidados personales para volver a poner cada cosa en su sitio.

Es entonces cuando me reseteo, me mimo y me digo a mí misma: «Ya está bien, cambia de carretera ¡y vuelve al centro!».

Es cierto que los hábitos de alimentación están cambiando… Aunque más en la teoría que en la práctica. Nos llegan consejos contradictorios de aquí y de allá más o menos transportados por una ruidosa publicidad. Es como si pagasen a alguien solo por sacarnos del centro, por despistarnos y ganar dinero a nuestra costa. No hay quien se aclare sobre lo que es bueno o malo comer.

Nuestros antepasados primitivos sabían mucho más que nuestra supuesta especie «evolucionada»; gracias al instinto innato y a un contacto íntimo con la naturaleza, desarrollaron una capacidad extraordinaria a la hora de interpretar todos los fenómenos ambientales, incluido el funcionamiento del cuerpo humano y lo que lo hacía enfermar. Eso les hizo desarrollar un sistema de medicina natural limitada, pero intuitiva y coherente, que nos ha hecho evolucionar a lo que somos, una parte integrante de la naturaleza.

Por el contrario, lo que veo hoy en día es que el mundo actual se vuelve cada vez más avanzado tecnológicamente, pero menos conectado con los elementos naturales.

No le concedemos permiso a la intuición ni tiempo a la observación holística.

Por eso pienso que enfermamos cada vez más, y que somos unos ignorantes a los que les queda mucho por aprender.

Parece que somos más valorados por la capacidad de hacer millones de cosas en un solo día que por el simple hecho de ser como somos y sentir lo que sentimos. Nadie te pregunta en una entrevista de trabajo: «¿Y tú cómo te sientes cuando te levantas, o cuando miras a los ojos a un amigo?». O: «¿Qué haces para conectarte contigo mismo, o para relajarte y recargar tu energía cada día?».

Alrededor de nuestros cuerpos cafeinados y maquillados, de las agendas, los compromisos y las rutinas, vibra algo que se llama campo energético, y que es tremendamente sensible a todo lo que ocurre dentro y fuera de nuestro organismo, ya sea la calidad del aire que respiramos, los alimentos que ingerimos, las relaciones con otras personas, nuestra actividad física y mental…

Tomar conciencia de lo que nos mantiene vivos y nos nutre en todos los aspectos no tiene que pasar por un cambio drástico de vida, ni hace falta comprarse una caravana de flores. Para mí tiene que ver con observar los cambios de color del atardecer, la reacción de mi piel en contacto con el agua, la letra de una canción, atender lo que me pide el cuerpo antes de entrar en la cocina o lograr apagar el móvil al llegar a casa.

Cuando nuestro campo vibracional está abierto, todo nos afecta más: los problemas, los virus, los gérmenes, etcétera. Y, sin duda, los alimentos que ingerimos contribuyen a dicha apertura o, por el contrario, llaman a cerrarlo más, al aislamiento, a la desconexión y a la insensibilidad.

Nutrirse de forma energética y consciente es un hábito que se puede adquirir con pequeñas prácticas, algo totalmente compatible con las obligaciones, las velocidades y las responsabilidades de cada uno. **Somos energía siempre.** Y estoy convencida de que aprender a usarla de forma eficiente es el principio de una vida equilibrada.

Por eso, como colofón a este capítulo, no está de más que insista:

La prevención de muchas enfermedades a través de los hábitos y los alimentos adecuados solo puede ser eficaz si comienza pronto en las familias, los colegios y las empresas.

Capítulo 4:
Cómo he incorporado hábitos saludables a una vida estresante

Cuando por fin te das cuenta de que el guion lo escribes tú

He aquí el quid de la cuestión. Pero ¿cómo? ¿Cómo se hace? Escribir o hablar sobre cómo incorporar hábitos saludables puede ser relativamente fácil, pero ponerlo en práctica en el mundo real... Eso ya es otra historia, ¿a que sí? En las charlas que he impartido para los empleados de numerosas empresas, esta era su queja principal: entre los horarios laborales, las obligaciones familiares y la falta de tiempo para uno mismo, ¿cómo es posible llevar a cabo un estilo de vida supuestamente saludable? Qué me van a contar.

Pero ¿sabes qué? La mayoría de las personas que conozco que han cambiado sus hábitos a mejor, por desgracia, lo han hecho tras llevarse un buen susto relacionado con su salud o la de un ser querido cercano. Como yo. Qué absurdo, ¿no? Pero claro, si nadie nos educa al respecto, si de niños no nos enseñan la importancia de cuidar nuestra alimentación, si nos confunden con estereotipos de hombres y mujeres que saben de todo menos sobre cómo funciona su organismo, termina siendo normal que el cuerpo saque tarjeta roja alguna vez.

Un día me sorprendí a mí misma imaginando que alguien hacía una película de mi vida, y entonces pensé: ¿cómo quiero salir en esa peli?, ¿qué actitud tengo ante la vida?, ¿me pierdo cosas o participo de todo?, ¿qué llevo puesto?, ¿cómo voy peinada?, ¿qué estoy comiendo?, ¿tengo cara de relajación o estoy preocupada? Desde luego que, si viera de protagonista a la chica estresada y sin brillo de hace unos años, saldría corriendo.

Hacer el esfuerzo de huir de mi ensimismamiento para mirarme desde fuera me resulta desde entonces un ejercicio interesante que repito con frecuencia. Y eso que soy una persona a la que le gusta meditar, meterse dentro y trabajar la energía interior con la práctica de disciplinas como el taichí y el *zenpower*. Pero esto es otra cosa: es mirar con perspectiva lo que estamos haciendo con nuestra vida y vivirla como si se tratase de una película llena de detalles importantes para nosotros. ¿Por qué perdérnosla cuando podemos crearla nosotros mismos?

No pretendo darte un punto de vista superfluo de tu vida, únicamente te animo a que visualices esa versión tuya que sabes que te encanta y a la que solo le falta el escenario adecuado para aflorar.

Y no te voy a contar lo que ya sabes, que **la energía necesaria para la vida procede del metabolismo de los alimentos que tomas. Y tu rendimiento, tu salud y tu calidad de vida vienen de la combinación de los cuatro pilares que te sostienen: alimentación, actividad física, descanso y motivación.**

Así, pues, incorporar hábitos saludables no tiene más misterio, la clave está en empezar por **buscar una motivación,** que crece sola y por días a medida que consigues: dormir una hora más, saber que estás reemplazando alimentos dañinos por otros beneficiosos y que, con ello, estás activando tu cuerpo un poco cada día.

Preguntas a las que me enfrento a menudo:

- ¿Cómo recuperaste tu energía? ¿Cuánto tiempo tardaste?
- ¿Se puede realmente apreciar un cambio notorio en la energía cotidiana mediante los alimentos?
- ¿Cómo llevas a cabo un cambio de hábitos personal cuando convives con pareja, hijos, familia, etcétera, con necesidades diferentes y convicciones contrarias a tus hábitos?
- ¿Cuándo y cómo descubriste que eras celíaca?
- ¿Cómo puedes compaginar el hecho de que te gustaría comer mejor con que no te guste cocinar?

En el resto de este capítulo veremos la respuesta a todas estas preguntas de manera detallada en cada uno de los siguientes epígrafes.

¿Cómo recuperaste tu energía? ¿Cuánto tiempo tardaste?

Sentir ese tirón de energía que tanto nos gusta porque nos vuelve poderosos en nuestro día a día es una gozada, hay que reconocerlo. Pero no siempre lo conseguimos y, cuando lo logramos, no es fácil conservarlo.

Para mí fue vital tomar conciencia primero de lo que arruinaba mi propósito y tomarme mi bienestar como un camino de disfrute diario, sin la ansiedad de llegar a un objetivo exacto en un tiempo determinado.

Hice una lista de los hábitos que creía que no me convenían y eso me vino muy bien, porque, al escribirlos, se toma más conciencia, y después, al lado de estos hábitos, escribí las alternativas que creía realistas para superarlos.

Por ejemplo, si como hábito negativo anoté que dormía menos de siete horas, como alternativa, junto a este, anoté que podía adelantar el horario de la cena y dejar algo de trabajo pendiente con el ordenador para la mañana siguiente, aparcando el vicio de querer acostarme con todo terminado, que hacía que me dieran las tantas y me desvelara.

Otro hábito que descubrí que me resultaba negativo era abusar de las ensaladas. Son muy buenas y saludables, por supuesto, y me encantan, pero era mi «recurso rápido» cuando comía sola, y mis comidas no podían consistir únicamente en una simple ensalada, pues me dejaban el cuerpo frío e insatisfecho, especialmente en invierno. Me propuse, y así lo escribí en mi lista, empezar a sustituirlas por verduras cocinadas y más caldos caseros, purés y guisos de cuchara, y cuando quise darme cuenta, poco a poco, había logrado mi objetivo.

Llega un momento en que la incorporación paulatina de pequeños cambios multiplica la sensación de energía, y es entonces cuando te das cuenta de que ese es el camino que saca lo mejor de ti. Claro que esto lleva tiempo, no se puede esperar una transformación radical en cuestión de días. Depende de la predisposición de cada persona. Yo empecé a sentirme muy bien a las pocas semanas de prestar atención a mi lista, y aún hoy la sigo trabajando.

Hubo tres cosas que me ayudaron mucho a mejorar mi energía en general:

1. Prestar atención a las sensaciones y apetencias de mi estómago... o cabeza

Eso que dicen de que «eres lo que comes y comes lo que eres» no es tan disparatado como parece, ya que automatizamos la búsqueda de comida en función de cómo nos sentimos, y viceversa: nos sentimos de una forma determinada dependiendo de lo que hayamos comido.

Así me siento, así actúo, y luego me siento de una manera en función de cómo he actuado. De repente la coherencia ocupa un lugar importante en nuestra vida.

Por eso, el hecho de detenernos unos segundos a mirar cómo estamos y qué nos vendría bien para afrontar el día de una forma equilibrada es el primer paso para sentirnos «coherentes».

Para ello, resulta indispensable que nos preguntemos:

- ¿Cuánta hambre tengo en realidad?
- ¿Es hambre física o hambre de corazón?
- ¿Cómo quiero encontrarme después de haber comido?
- ¿Qué voy a hacer hoy y cómo necesito encontrarme para afrontarlo todo?

2. Identificar el tipo de energía que aporta cada alimento por sí mismo

Durante la niñez nos inculcan conceptos elementales, como que el arroz blanco, una manzana o un pescado hervido pueden ser remedios típicos de una dieta blanda, o que unas ciruelas o un salteado de espinacas tienen el efecto contrario, o que la cafeína espabila y el alcohol desinhibe.

A través de mi formación en nutrición energética y mi propia experiencia personal he aprendido que los efectos que puede tener el consumo de cada alimento son mucho más amplios: unos enfrían el cuerpo, inflaman el intestino, dispersan la mente, y activan o ralentizan el metabolismo, y otros calientan internamente, tensan el sistema nervioso, estresan o ayudan a dormir mejor. Y esto me parece, a día de hoy, una herramienta fundamental para sobrevivir al máximo de nuestras posibilidades energéticas. Por eso he decidido compartir contigo el dibujo del capítulo 3, que tanto me ha servido a mí.

3. Empezar por atender lo que me pide el cuerpo por las tardes

¿Por qué? Porque así predispongo mi descanso de la noche y las sensaciones al despertar a la mañana siguiente.

No falla: si como alimentos difíciles de digerir o con exceso de azúcar o sal, no duermo profundamente ni me levanto con la misma energía y apetito por la vida que si ceno cosas suaves y sabrosas, con los ingredientes y los sistemas de cocción adecuados a mi desgaste del día.

¿Se puede realmente apreciar un cambio notorio en la energía cotidiana haciendo uso de los alimentos?

La diferencia entre alimentación y nutrición

Y tanto que se nota.

Hay una gran diferencia entre alimentarse y nutrirse.

Y siempre facilita su entendimiento verlo con un ejemplo cotidiano como este:

Un vaso de refresco de cola con una ración mediana de patatas fritas aportan un promedio de 600 kcal; eso alimenta, pero solo aporta azúcares, sal y grasas, además de aditivos, conservantes, estimulantes para el sistema nervioso, etcétera.

En cambio, un plato de lentejas con arroz, que aporta en torno a las 400 kcal, lo hace en forma de aminoácidos esenciales, carbohidratos de absorción lenta, vitaminas, minerales, ácidos grasos, etcétera. Con esta segunda opción, la nutrición es mucho más completa y rica que con la primera. Ahí está, como vemos, la diferencia entre **alimentarse** y **nutrirse**.

Estos son solo dos ejemplos que nos sirven también para darnos cuenta de lo absurdo que es obsesionarse con las calorías, si no se presta atención al origen, a la calidad e incluso a la vitalidad de lo que elegimos comer.

Claro que un refresco de cola edulcorado no aporta apenas calorías, pero del mismo modo sus aditivos químicos tampoco aportan beneficios al organismo.

Por el contrario, un licuado de hortalizas y frutas de temporada, recién hecho y sin azúcares añadidos, puede aportar en torno a las 150 kcal (dependiendo de los ingredientes), junto con un aporte de vitaminas antioxidantes y minerales muy importante, frente a unas tortitas de arroz inflado, que tienen muy pocas calorías, pero no sacian ni aportan nutrientes esenciales.

Otro ejemplo: 80 g de arroz integral cocido suponen unas 160 kcal vitales que nutren, regulan el tránsito intestinal, satisfacen y no llenan de aire tu intestino… Y así podríamos seguir con una lista interminable de supuestos alimentos *light* que nos encierran en un círculo de insatisfacción constante:

- picos de pan versus pan de semillas y masa madre;
- patatas *light* de bolsa vs. chips de boniato al horno recién hechos;
- ensaladas mixtas vs. salteados o verduras de temporada al vapor;
- mahonesas *light* vs. aliños caseros de AOVE, especias y limón;
- fiambres de carnes industriales vs. una pechuga de pollo ecológico;
- fruta deshidratada baja en calorías vs. fruta de verdad;
- barritas sintéticas sustitutivas de una comida vs. revuelto de trigueros y setas, etcétera.

El azúcar blanco, los edulcorantes y la nutrición

Ya se sabe que el consumo de azúcar blanco se asocia a numerosos problemas de salud, acidez crónica, inmunodepresión energética, inestabilidad emocional, etcétera. ¿Y qué pasa con los edulcorantes artificiales? Pues más de lo mismo: no subirán el índice glucémico en sangre, pero se está demostrando que su consumo recurrente ocasiona trastornos de inmunidad y neurológicos.

En mi opinión, lo alarmante es la gran cantidad, tanto de azúcar como de edulcorantes artificiales, que viene camuflada en gran parte de los productos envasados que consumimos a menudo: pan de molde, tomate frito, salmón ahumado, bebidas, salsa de soja común, todos los productos *light*, galletas, bollería, etcétera.

Sin darnos cuenta, estamos consumiendo, a través de todos estos alimentos, cantidades ingentes de azúcar blanco y edulcorantes.

¿Alternativas?

Cuanto más naturales y menos refinadas, mejor.

La opción más saludable para endulzar siempre nuestra vida serán los alimentos naturales, con presencia de verduras de raíz en los menús, y también podemos darnos algún gusto de vez en cuando con postres de frutas y alternativas sin refinar, como una buena miel con jalea, melazas de cereales, sirope de agave puro o azúcar de coco de producción ecológica.

Y **recuerda**: ojo con la apetencia constante de alimentos dulces. Por muy saludables que sean, esta puede ser señal de alguna carencia nutricional o energética. La falta de carbohidratos de absorción lenta, proteínas o grasas saludables en los menús diarios quizá dé lugar a una búsqueda de energía rápida, como la que producen los dulces, para compensar, lo que nos lleva a un bucle de dependencia constante. También puede ser síntoma de proliferación de la cándida intestinal, que se alimenta de azúcares. En cualquier caso, la mejor fórmula para moderar las ganas de dulce sigue siendo la búsqueda de equilibrio nutricional en cada plato de comida.

Las dietas de moda y el veganismo

Hablar de dietas se ha convertido, a mi parecer, en hablar de tendencias de temporada. Sin duda, el veganismo tiene una razón de ser, pero, como todo, debe ser bien entendido y llevado a cabo, si así se decide, como un movimiento consciente, estudiado, consecuente y voluntario en la vida de una persona. Esto viene de la creencia popular —y no explicada— de que ser vegano es solo alimentarse de lechugas y brócoli. No es así: definirse como una persona vegana de verdad va más allá de los alimentos que se eligen a diario; es una toma de conciencia real sobre el impacto que el consumo de productos animales tiene en la salud y el medioambiente. Es también querer participar activamente en un cambio social, ambiental y de calidad de vida, lo que implica ser coherente en todas las decisiones cotidianas: alimentos, utensilios, cosméticos, ropa, zapatos, etcétera; es decir, optar por tomar decisiones que pasen, en todos los aspectos de la vida, por alejarse de la explotación animal en el más amplio sentido de la palabra.

Mi llamada de atención tiene que ver con la manera de adentrarse en esta forma de vida, en especial en lo que concierne a la alimentación: es cierto que la proteína animal produce una flora bacteriana con más residuo «putrefacto» que una fermentación de origen vegetal, y por eso en determinados casos en los que se requiere de una limpieza orgánica, recuperar un pH de sangre muy ácido, minimizar el gasto energético digestivo o eliminar el consumo de carnes puede ser una medida inteligente y muy saludable. Pero este proceso siempre ha de estar guiado por un profesional de la salud.

Sin embargo, cada organismo es un mundo y no todos asimilamos ni reaccionamos igual ante la misma forma de comer. Tampoco todos tenemos las mismas necesidades nutricionales ni la misma condición energética, ni, por supuesto, todas las carnes son iguales.

Desde un punto de vista energético, las proteínas animales tomadas en exceso tienen en general un efecto de calentamiento interior, densidad, contracción, retención, etcétera. Pero a la vez también se consideran un aporte único de aminoácidos esenciales y minerales.

Por eso mi opinión sobre el veganismo alimenticio está totalmente relacionada con dos consideraciones previas:

1. Entender las necesidades del organismo y saber cubrirlas adecuadamente con alimentos vegetales alternativos, con el fin de no generar carencias nutricionales o energéticas a largo plazo.

   Para ello siempre debe existir un buen asesoramiento nutricional.

2. Valorar otros factores antes de tomar decisiones drásticas para la salud, como conocer las diferencias abismales que existen actualmente entre la producción de carne industrial, procesada y cargada de componentes químicos, hormonas y antibióticos, y la producción sostenible y creciente de carne y huevos ecológicos certificados, que fomentan un consumo **moderado** y **responsable** de sus productos.

Los cambios bruscos y sin conocimiento en la alimentación pueden tener consecuencias serias para la salud.

Con el tiempo, he conocido iniciativas asombrosas que demuestran la calidad nutricional y el mínimo impacto medioambiental de algunos productos de origen animal, como es el caso de NanaFood, Los Confites Organic Farm, La Dehesa El Milagro o PlenEat Organic Food. Gracias a ellos he recuperado la confianza en las ganaderías y las granjas nacionales, de animales libres criados con pastos y piensos naturales, y es por esto por lo que me permito incluir alguna proteína animal en mis menús de la semana.

Es una cuestión de elección personal, totalmente respetable, desde luego, y por eso pienso que **el verdadero veganismo es precisamente aquel que no es una moda**, sino el que se basa en el conocimiento de su significado, la coherencia en la forma de llevarlo a cabo y la sostenibilidad en el tiempo.

¿Debemos eliminar los carbohidratos de nuestra dieta?

Visto lo visto, está claro que no todo el mundo asimila igual de bien todos los nutrientes, especialmente los carbohidratos y almidones, de ahí también las tendencias en relación con las famosas dietas paleo. Pero no olvidemos que carbohidratos y almidones son la principal fuente de energía del organismo y habrá que estudiar en cada caso cuáles son la cantidad y la fuente adecuadas.

En alguna ocasión he probado fórmulas disociadas, por ejemplo, incluir solo cereales en la dieta, como el arroz integral, lejos de la ingesta de proteínas, y es cierto que notaba más ligereza al hacer la digestión, pero a la larga me generaban carencias energéticas y me producían más ansiedad, ganas de darme un atracón de carbohidratos refinados (tipo bizcochos, frutas o dulces) y mayor sensación de hambre entre horas.

Cuando aprendí a construir platos sencillos en los que siempre había un poco de quinoa, trigo sarraceno, pasta o arroz integral en combinación con una proteína ligera (pescado, legumbres o pollo ecológico) y variedad de verduras de temporada con un buen aceite de oliva virgen, alguna semilla y alga de mar, empecé a notar una mayor satisfacción sensorial y sostenibilidad energética. Esto me ocurre especialmente si utilizo esta fórmula en las primeras horas del día. Por la noche suelo prescindir más de los cereales, a no ser que esos días esté entrenando con especial intensidad.

Algo que también aprendí con el tiempo es que de nada sirve una comida ligera, de esas que te engañan porque te crees que te estás moderando y cuidando, si al rato de comer te mueres por unas galletas, un puñado de almendras o un bombón. Eso es señal de que la comida estaba desequilibrada con respecto a los nutrientes y por eso te dejó sensación de insatisfacción.

Apenas hay azúcares simples en mi dieta, más allá de algún postre natural endulzado con melazas o frutas secas, ni tampoco harinas refinadas ni alcohol (excepto algún sorbito de vino tinto en ocasiones especiales). Creo que por eso favorezco a mi intestino con una rápida y eficiente asimilación.

Esto puede sonarte demasiado sencillo (o complicado) para creértelo, pero puedo asegurarte que estas combinaciones dan mucho juego y, cuando se sostienen en el tiempo, te encuentras tan bien que no quieres volver atrás. Por eso te hablo de crear una nueva relación con la comida, una **relación de complici-**

dad, porque solo con mirar los ingredientes ya sabes el efecto que te van a ocasionar.

¿Cómo llevas a cabo un cambio de hábitos personales cuando convives con pareja, hijos, familia, etcétera, con necesidades diferentes y convicciones contrarias a estos hábitos?

El hecho de convivir con más personas con edades, perfiles y necesidades diferentes puede asustar *a priori* a la hora de organizar comidas para todos. De hecho, es la excusa perfecta para no organizarse, especialmente cuando uno no se siente atraído por la cocina. Lo que suele suceder al final es que, o bien acaban comiendo todos lo mismo, o cada uno come a su aire sin atender a las necesidades reales de cada cual.

Para cambiar esta dinámica, todo ha de comenzar por el que está dispuesto a mejorar su salud. Con convencimiento y perseverancia. Y es que, cuando alguien irradia salud y energía, acaba contagiando a aquellos que lo rodean, te lo puedo asegurar. Si te ven disfrutar y observan lo bien que te sienta tu forma de comer, por mucho que te critiquen, terminarán queriendo probar. Sin imposiciones, sin obligar, porque somos seres que imitamos aquello que nos gusta.

Es muy sencillo que los niños se vayan adaptando a lo que ven en los mayores, especialmente cuando hay colorido y huele bien. Después, poco a poco, desde la simplicidad se pueden ir sofisticando progresivamente los platos con recetas algo más elaboradas, pero lo importante es que siempre haya representación de los cinco puntos.

- El que haga deporte se servirá más cereal y proteína.
- El que esté estreñido, más verdura de hoja verde.
- El que esté nervioso, más verdura naranja y dulce.
- El que quiera depurar, menos cantidad de cereal y proteína.

… Y el adulto que no quiera seguir estas pautas es libre de decidir qué hacer con su salud, porque no podemos obligar a nadie a actuar como nosotros, eso es algo que tiene que salir del convencimiento personal o abandonará con la primera excusa.

Hay personas que evitan comer solas por miedo a descontrolarse o sienten una gran desgana a la hora de cocinar, y por ello recurren finalmente a bocadillos o latas sencillas para terminar antes.

En el día a día familiar puede haber más nerviosismo y se buscan soluciones rápidas y funcionales. En este caso, a mí me salva la vida tener un par de comodines listos en la nevera cada dos o tres días, como un arroz integral o sarraceno hervido, un buen caldo casero o crema de verduras, patés de legumbres, etcétera. Y lo demás, estando fresco, se puede ir elaborando sobre la marcha en cuestión de minutos, como verás en las recetas que te propongo al final del libro.

La regla del equilibrio energético, una vez más, es lo único que realmente va a ayudarte a construir menús rápidos y, lo que es más importante, dejará nutrido y completo a cualquier miembro de tu familia, porque no es una cuestión de cantidad o maestría, sino de **elegir calidad y combinaciones adecuadas.**

Puede que estés pensando que para comer bien es necesario tener un presupuesto desorbitado: nada más lejos de la realidad, porque, cuando recurres a ingredientes básicos y aprendes a hacer un buen uso de ellos en diferentes formatos, te das cuenta de que gastas menos de lo que gastarías comprando de forma compulsiva otro tipo de productos procesados, inflados en aditivos y con envases cargados de publicidad.

Alimentar a niños y adolescentes

Y en cuanto a los hijos y sus comidas…

Puedo decirte que, ya no solo como naturópata, sino como madre de dos adolescentes de dieciséis y catorce años, observo muy de cerca el ritmo acelerado al que están sometidos la gran mayoría de los jóvenes de hoy en día, así como la sobrecarga de actividades diarias que realizan: salen del colegio hambrientos, tras una larga jornada de estudio, normas, ruido, actividades, etcétera, y muchas veces con ganas de tomar algo dulce que los ayude a relajarse después de tanta presión (digamos que es lo mismo que cuando salimos nosotros del trabajo deseando relajarnos de alguna manera). El problema es que a la mayoría les llenamos el estómago de «meriendas cómodas y rápidas», es decir, de alimentos procesados y azucarados cargados de calorías y grasas saturadas —como bollería industrial, galletas, panes refinados o embutidos de baja calidad—, lo cual les produce un gran estrés energético e hiperactividad.

Si a esto se le añade nuestro cansancio como padres agobiados por el momento de llegar a casa, preparar la cena, recoger, organizar, etcétera, nos encontramos preparando sin muchas ganas cenas rápidas a horas tardías. Para entonces los niños y los adolescentes, ya vencidos por el agotamiento, no tienen apetito, así que, a base de chantaje emocional o distracciones tecnológicas, los forzamos a tomar lo que no les apetece para, acto seguido, llevarlos a la cama sin tiempo de hacer la digestión.

Al no respetarse las dos horas de digestión mínima que necesita nuestro cuerpo antes de acostarse, no se aprovechan bien las horas de descanso para reparar y relajarse, sino que se emplean para digerir, lo cual repercute en todo el sistema nervioso, además de sobrecargar el hígado y el sistema digestivo. Como consecuencia de este hábito, los niños se levantan cansados y sin hambre, por lo que de nuevo empieza la lucha con los desayunos y los «socorridos» *snacks* de bolsillo para llevar al colegio.

¡Y vuelta a empezar!

Desde mi punto de vista, el gran peligro de la alimentación infantil actual no está solo en la influencia de los alimentos rápidos, cómodos y procesados que, en lugar de nutrir, quitan el hambre de forma momentánea, sino en los hábitos adquiridos.

Entre los mitos más dañinos, mencionaría la creencia de que los niños necesitan tomar azúcares refinados a diario, como fuente de energía, en forma de golosinas, refrescos y chocolates (cuando la necesidad real tiene que ver con el sabor dulce natural, y su apetencia constante indica claramente un tipo de carencia nutricional y energética). Otro mito conocido es atiborrarlos a productos lácteos como si estos representasen la única fuente de calcio recomendada para ellos, o utilizar margarinas hidrogenadas en bocadillos.

¿Cuándo y cómo descubriste que eras celíaca?

Se dice que todo pasa factura en esta vida, y es absolutamente cierto cuando hablamos de salud. Si actuamos mucho tiempo en sentido contrario a lo que necesitan nuestros órganos para funcionar a pleno rendimiento, estos se resentirán. Yo tengo que reconocer que en mi época vital de mayor estrés, rondando los treinta y cinco, y coincidiendo con mis trabajos en grandes corporaciones y la maternidad, me llenaba el estómago con sándwiches rápidos o ensaladas, té negro y bebidas de cola cargaditos de edulcorantes y aditivos. Mi pobre intestino no era capaz de asimilar nutrientes de calidad y me mandaba señales que yo no atendía, y de este modo mis defensas se debilitaban, la cabeza gastaba una cantidad inmensa de energía en planificar más quehaceres y mis emociones se convertían en una montaña rusa.

La sensación de cansancio crónico, de malestar digestivo, los dolores de cabeza y los picores en la piel terminaron en un diagnóstico de celiaquía confirmada mediante una biopsia. Retirar el gluten de mis comidas resultó fundamental, pero lo que realmente me devolvió la energía fue cambiar mi estilo de vida en general, pues tengo que decir que, si me hubiese limitado solo a quitar el trigo y sustituirlo por productos etiquetados por la industria como libres de gluten, es probable que no hubiese logrado el nivel de rendimiento del que disfruto hoy, porque, por desgracia, muchos de los productos etiquetados como «sin gluten» son ricos en grasas de baja calidad, sal, aditivos y azúcares simples. Por eso mi nueva forma de comer consiste en introducir cuantos más productos naturales mejor:

productos que me aportan vitalidad, fáciles de reconocer y de asimilar por mi organismo.

La celiaquía es una enfermedad autoinmune en la que el organismo se agrede a sí mismo al reconocerse como un agente dañino. Suele diagnosticarse tarde porque los síntomas a veces no se relacionan con un problema de absorción intestinal, y las personas que la padecen suelen tener predisposición genética a padecerla. La ingesta de gluten provoca una atrofia en las vellosidades intestinales, lo que impide una buena absorción de los nutrientes presentes en los alimentos, de ahí el cansancio crónico que a la larga suele generar.

Recientemente he tenido el placer de colaborar en el libro *Pan casero sin gluten*, de mi querido amigo y chef Juan Carlos Menéndez Cogolludo, editado por Larousse, donde explico los distintos trastornos relacionados con el gluten y con el que se puede aprender a preparar fácilmente los mejores panes artesanos sin gluten que he probado nunca.

¿Cómo puedes compaginar el hecho de que te gustaría comer mejor con que no te guste cocinar?

Cocinar se ha convertido en el terror de las familias «modernas», dos de cada tres conocidos me suelen decir esto. Lo entiendo, pero ahora dime tú cómo pretendes que tu vehículo arranque si no te gusta bajarte en las estaciones de servicio a repostar. Vale que ya hay muchas gasolineras donde te facilitan este servicio y te lo sirve un empleado (sería el caso de los restaurantes), pero ¿qué pasa en todas las demás estaciones donde tienes que bajarte del coche? Pues con la alimentación sería lo mismo: aunque no te guste, te lo tomas con filosofía, te bajas, eliges la gasolina y llenas el depósito, ¿a que es lo que haces? Del mismo modo, no creo que puedas vivir toda la vida comiendo en restaurantes. ¿O sí?

En el fondo, saber proveerse de alimentos es una necesidad básica de cualquier ser humano, pero nos confunde la idea de que vale cualquier cosa, especialmente cuando nos venden recursos para no pensar, como si encima quisieran atontarnos más. La industria nos dice: «No te esfuerces, no pierdas tiempo en cocinar, pide que te lleven este plato a casa ya hecho, o cómpralo listo para el microondas y nada más», cuando es evidente que necesitamos saber desde la infancia qué precisamos para mantener nuestra salud al máximo de sus posibilidades.

En realidad, el mismo tiempo que empleas en pensar qué bocadillo te preparas puedes emplearlo en poner un pescado al horno y unas verduras al vapor, o en saltear un arroz ya cocido en una sartén con guisantes y especias, o en hacer una buena tortilla de huevos ecológicos con setas.

Sin duda, necesitarás tener una despensa bien provista para tirar de recursos fáciles y atractivos, y por eso en las siguientes páginas voy a contarte cómo empecé a organizarme yo y cuáles han sido mis comodines y básicos de nevera para poder comer casero y rico a diario sin invertir mucho tiempo.

Mi intención no es convencerte, pero sí inspirarte.

Porque tengo la convicción de que, cuando compruebes el nivel de satisfacción que produce llevarse a la boca un tenedor que contiene algo increíblemente bueno hecho por ti, te querrás mucho más. Y eso gusta.

Capítulo 5:
Qué tiene que ver
la comida con lo
que siento o pienso

Hola, cuerpo, ¿cómo estás hoy?

Comer de una forma equilibrada tiene que ver con aprender a manejar las emociones. Sí, sí, cada emoción es un mensajero que trae una señal, y camuflarla con comida suele ser un recurso habitual, aunque nada bueno. Cada emoción genera una energía diferente y, al igual que los alimentos, puede proporcionarnos o, lo que es peor, restarnos energía.

Si no lo crees, prueba a recordar qué es lo que te pasa cuando recibes la llamada de esa persona que tanto te gusta: ¿a que en lo último que piensas es en comer?

En efecto, el estómago se cierra porque toda la atención está puesta en esa conversación, en saber cuándo volveréis a quedar o en el qué te pondrás cuando la veas. Y, al contrario, cuando algo nos disgusta, buscamos la forma de evadirnos de esos pensamientos y emociones desagradables dirigiendo la atención a los placeres sensoriales que nos proporcionan ciertos alimentos considerados extremos, que nos dan la satisfacción de sentirnos, al menos, con el estómago lleno.

Empiezas y ya no paras

Cuando estuve en la India me pareció evidente que en realidad vivimos en dos mundos: el que creamos en nuestra cabeza y el mundo en el que estamos. Da igual de dónde seamos, lo cerca o lo lejos que estemos de casa, al final lo que fabricamos en nuestra cabeza parece predominar sobre nuestra forma de actuar y relacionarnos con todo.

El cuerpo tarde o temprano responde a los cuidados, pero a la cabeza le va la marcha y juega a tirar de archivos inesperados, resistiéndose a ciertos cambios de hábitos. Está acostumbrada a llevar la voz cantante y tiene sus propios vicios. Quizá le damos demasiado poder. Pero es un hecho y, junto con las emociones, lidera gran parte de nuestras decisiones a la hora de comer.

Ya lo hemos visto mil veces: el cerebro se resiste a empezar cualquier cosa, busca excusas, retrasa el momento, etcétera. Te suena, ¿verdad? Planes, proyectos, llamadas, hábitos, entrenamientos, dietas… Lo más difícil es empezar, tan simple como eso: empezar.

Sin embargo, está comprobado que, una vez que empiezas una actividad, la mente experimenta una especie de ansiedad hasta que terminas lo que estás haciendo. Al cerebro no le gusta dejar las cosas a medias. Lo aplica tanto para leer un libro como para terminarse una bolsa de patatas fritas.

Sabiendo esto, utiliza el cerebro en tu beneficio y aliméntalo bien. Cuenta hasta tres y empieza ya: escribe las mejoras que deseas para tu salud, cosas a las que sabes que vas a renunciar, y haz una nueva lista de la compra.

Empieza ahora mismo. Cuidarse es un hábito que no se puede parar.

Mi querido segundo cerebro

Se habla mucho últimamente de la estrecha conexión entre intestino y cerebro, y de cómo la microbiota bacteriana influye directamente en los niveles de serotonina, el neurotransmisor responsable de nuestra felicidad, un concepto que desarrollan, entre otros, libros como *La increíble conexión intestino-cerebro,* de Camila Rowlands, publicado por la editorial Irio. Esta relación puede resultar beneficiosa o perjudicial en ambas direcciones: una alimentación respetuosa con la microbiota nos da equilibrio y tranquilidad, así como una mente ordenada nos facilita un comportamiento amable con la comida; por el contrario, una flora intestinal alterada nos conducirá a comportamientos desequilibrados y a situaciones de desajuste para nuestra salud.

Tener constancia de esta relación es un primer paso importante a la hora de realizar algunos cambios.

Porque lo natural es que, al terminar de comer, nos sintamos mucho mejor que antes de empezar, no solo por haber apaciguado la sensación física de vacío de estómago y haber hidratado y nutrido el cuerpo, sino también por la sensación de placer para todos los sentidos.

Un minuto de conexión hace milagros

Hay algo más que a mí siempre me ha ayudado mucho a la hora de disfrutar más de cada comida; se trata de una proyección mental de cómo quiero verme y sentirme después de comer: ¿calmada, pero con vitalidad para seguir mis actividades? ¿Pesada, somnolienta y con la tripa hinchada? ¿Con remordimientos por algún exceso? ¿Con satisfacción real por las elecciones más convenientes? ¿Con energía sostenible? ¿Concentrada en mis quehaceres o dispersa? ¿Con frío o calor?

Es todo un ejercicio de atención consciente, conocido en muchos lugares como técnicas de *mindful eating*, y aunque al principio suene trascendental o tedioso para la mente, es realmente fácil incorporarlo en el cerebro cada vez que vamos a comer.

Así, de nuevo, podemos buscar en nosotros mismos nuestro gran aliado, aquel que sabe de verdad lo que necesita nuestro cuerpo y que desea una relación amable con la comida.

Otra de las cosas que más me fascina en relación con la comida es cómo modula nuestro estado de ánimo en cuestión de segundos. Es sorprendente cómo un plato bien cocinado tiene la capacidad de sacar una sonrisa, recuperar un estado de quietud o, por el contrario, enfadarnos si lo que vamos a comer nos disgusta.

Eso me lleva a recordar momentos únicos con mis hijas. Bendita adolescencia. Esas edades de rebeldía absoluta contra todo lo que los rodea, incluso la comida: resulta que, si antes comían verdura, ahora la odian; si antes las comidas de mamá eran maravillosas, ahora mamá es una friki que no sabe apreciar los potenciadores de sabor químicos… Eso sí, cuando se trata de aliviar los dolores de estómago, ¡siempre suele dar con la tecla!

Así, el día que hago un buen caldo casero y huele toda la casa a gloria, suele escaparse algún «ay, qué rico, mamá, ¡te quiero!». Y cuando llegan a casa y se encuentran unas manzanas con canela al horno, o cuando la lasaña casera de sus sueños es la comida del domingo… Al final creo que la vida se rellena de recuerdos agradables como estos. Son tantos los que yo conservo de la cocina de mi madre, y también de mi abuela materna, que pensar en ellos me hace ver lo representativa que ha sido la comida a lo largo de mi vida y de la de todos.

Reconozcamos que comer lo que a uno le gusta, lo que estimula los propios sentidos, no solo es un placer, también hace que por unos segundos se pare el tiempo, haciendo que la atención se concentre en ese aroma o sabor placenteros.

Seguro que no tienes tanta morriña por los platos de comida rápida que alguna vez tomaste en la calle, o por esa cena precocinada para microondas con envase prometedor que te estuvo repitiendo dos días después.

Por último, recuerda: el factor que más favorece estados anímicos bajos es el consumo de azúcares refinados, es decir, azúcar blanco y sus derivados (chocolate, bollos, productos de repostería, refrescos, helados, fruta tropical en exceso, etcétera). Generalmente, el consumo de azúcar suele implicar unos altibajos importantes tanto desde el punto de vista emocional como energético.

> Toma tus propias decisiones y orienta tu vida hacia tu fuente de energía, lo que te nutre y enciende tu corazón.

Capítulo 6:
Tips para comerse el mundo de ahora

De sobrevivir a vivir súper

No te voy a engañar. Hacer cambios de índole vital no siempre es divertido, y así lo estamos viendo con la pandemia mundial de los últimos tiempos.

La vida nunca ha sido fácil ni lo será, pero pienso que, si nos preparamos para afrontar cualquier circunstancia con las pilas cargadas, nos resultará más sencillo lidiar con ella y tendrás la capacidad de luchar por tus metas, tener tirón y energía y, lo que es más importante, podrás disfrutar y, en definitiva, sentir que vives y no que sobrevives.

Y, en ese sentido, la forma de comer tiene mucho que decir al respecto.

Sucede que hemos cambiado la sociedad, pero no la biología, y el cuerpo sigue teniendo las mismas instrucciones por mucho que nos empeñemos en ignorarlas.

Muchos de los siguientes puntos que te sugiero considerar te sonarán de sobra como tópicos de un estilo de vida saludable, pero lo cierto es que son mucho más que tópicos: son actitudes y prácticas que contienen la llave de tu energía. Y tú lo sabes, lo escuchas, pero por alguna razón pasas por alto estas indicaciones como si no fueran contigo o no te viniese bien en estos momentos ponerlas en práctica.

Sin embargo, quieres poder comerte el mundo… ¡Pues venga! ¿A qué esperas? Si me estás leyendo ahora, no dudes en ponerte en marcha. Si te las recomiendo, es precisamente porque **sé que funcionan**.

Todo empieza con una buena motivación

¿De dónde nace tu deseo de cuidarte?

Con esta pregunta no me refiero a las motivaciones clásicas de por qué hacer una dieta o por qué cambiar de estilo de vida, o a si los motivos para embarcarte en cualquiera de ellos obedecen a caber en una talla menos, poder subir las escaleras sin esfuerzo o verte más atractivo.

Debes olvidarte de estos objetivos: sabemos de sobra que las metas cortoplacistas suelen llevar a estrategias insostenibles en el tiempo.

Yo voy hacia una motivación más real, profunda y sostenible, si es que podemos llamarla así. Como cuando pruebas la diferencia entre dormir sobre un colchón firme o uno blando y la sensación de bienestar que experimentas al día siguiente, tras haber dormido tan bien, te hace desear dormir así de profundamente todas las noches de tu vida. Porque ¿quién no querría descansar tan maravillosamente siempre? ¡Por supuesto que sí! Sabes que eso te permitirá afrontar el nuevo día con otro entusiasmo, no te dolerá la espalda y te parecerá que te puedes comer el mundo.

Se disfruta mucho de todo cuando se tiene energía, ¿verdad? Esto es especialmente valioso en los tiempos que vivimos.

La ansiedad que produce la incertidumbre puede inducirnos a comer de una forma mucho más impulsiva, aunque sé también de muchos conocidos que están aprovechando la situación de recogimiento para poner más atención que nunca a su salud y cuidar su alimentación motivados por la idea de fortalecer sus defensas y resistir las amenazas víricas y emocionales. Ya lo estamos viendo: los seres humanos tenemos que vernos en situaciones límite para reaccionar.

Sea por lo que sea, el hecho de que surja una motivación verdadera que nos haga cuidarnos es el lado positivo de esta experiencia, así que agarrémonos muy fuerte a ella.

Recuerdo de mi infancia la sensación de «subidón de energía» cuando jugaba a un rescate en el patio del colegio: mi corazón se aceleraba al máximo cuando un niño me perseguía, o cuando pasaba un día entero de senderismo por la sierra, o simplemente cuando volvía de mis clases de baile.

Ahora, tantos años después, puedo entender de dónde surgía esa impresión de bienestar y satisfacción de mi niñez: de la conexión que entonces tenía conmigo misma. De forma totalmente inconsciente, era capaz de conectar de una manera natural con mi esencia, y eso me equilibraba en todos los aspectos.

Seguro que tú también tienes recuerdos de alguna etapa de tu vida en la que te has sentido pleno. Como dice mi madre —y me encanta repetirlo—, son esos «ratitos de felicidad» que nos regala la vida y que surgen de la sensación de energía, de la chispa interior.

Estoy convencida de que no puede haber una motivación mayor para cuidarse que esa sensación.

Entrena tu fuerza de voluntad

Cambiar requiere convicción, asumir la responsabilidad del cambio. En lugar de perder tiempo librando una batalla interna para decidir si cambias algunos hábitos o no, da por hecho que ya has empezado a entrenar movilizándote hacia un pequeño cambio cada dos o tres días en forma de metas cortas y alcanzables. Como si se tratara de un puzle y cada día añadieses una pieza más. El truco está, como ves, en no querer hacer un gran cambio de golpe, sino «a poquitos».

La medicina tradicional china relaciona la fuerza de voluntad con el estado de los riñones. Según sus enseñanzas, estos órganos nos proporcionan la energía física para emprender nuevas aventuras y las ganas de llevarlas a cabo, pero también nos suministran la energía, mucho más potente, que proviene de nuestra conexión interior. Podemos fortalecerlos con ejercicios suaves para la zona lumbar destinados a protegerlos; también debemos mantenerlos abrigados y elegir alimentos energéticos, como el trigo sarraceno y buenos platos de cuchara.

⇨ **Una forma muy eficaz de trabajar la fuerza de voluntad** consiste en empezar a apuntar durante unos días todo lo que comemos y bebemos a cualquier hora y leer nuestras notas detenidamente una semana después.

Además de darnos una dimensión real y sorprendente de nuestras acciones (muchas veces inconscientes), el mero ejercicio de apuntarlo todo cada día ya es un gran acto de voluntad que nos coloca en la dirección adecuada.

Regula tu tránsito intestinal sí o sí

Aunque resulte poco sexi, hay que hablar de ello, pues el tránsito intestinal es el principal indicador de que todo va bien dentro de nuestro organismo.

Por regla biológica todo lo que se ingiere debe ser eliminado, y educar al intestino para que evacúe a diario y más o menos a la misma hora cada día es nuestro mayor seguro de bienestar.

Además de las pautas alimenticias que encontrarás en el próximo capítulo para lograr que así ocurra, está demostrado que tanto la actividad física como el descanso, la gestión del estrés y los automasajes en la zona del vientre cada noche influyen de forma positiva en la forma de regularlo.

Incluir en las cenas semillas o aceite de lino, así como verdura de hoja verde cocida, también es un buen hábito para quienes deciden empezar a «educar» su intestino.

La importancia de la flora intestinal

Es fundamental fortalecer la flora intestinal con los alimentos adecuados y evitar aquellos que la deterioran, como el alcohol, los excesos de grasas, los azúcares y las harinas refinadas.

Ya sabemos que el intestino se relaciona con la absorción de nutrientes, la eliminación de desechos, la discriminación de proteínas propias de ajenas y el sistema inmune. La flora intestinal es la encargada de producir la estimulación del sistema inmune. ¡Ni más ni menos que el 70 % del sistema inmunitario se aloja en la superficie intestinal! La retención de desechos intestinales que el organismo ha acumulado en el colon para ser expulsados puede generar una autointoxicación orgánica si estos permanecen más de un día en nuestro intestino, ya que se produce un proceso de reabsorción intestinal. Esto se conoce como toxemia intestinal y puede ser la principal causa de enfermedades como diabetes, asma, artritis, insuficiencia hepática, dolor de cabeza, herpes, acné, gastritis, halitosis, cansancio, depresión o cáncer.

Factores que favorecen una buena flora intestinal

• **Una alimentación predominantemente rica en probióticos y prebióticos.**
  ⇨ Cuando hablamos de probióticos, nos referimos a microorganismos vivos, bacterias, que, ingeridas en cantidades adecuadas, producen efectos beneficiosos para la salud. Hay probióticos en el yogur y el kéfir de calidad, verduras fermentadas, como el chucrut, o la soja fermentada, como la pasta de miso o el tamari.
  ⇨ Un prebiótico, en cambio, es un carbohidrato no digerible que tiene la capacidad de favorecer el crecimiento de dichas bacterias beneficiosas. Son sustancias que se encuentran en alimentos como los siguientes:

–el calabacín
–el ajo
–la coliflor
–la cebolla
–la calabaza
–la remolacha
–la alcachofa
→ También puedes encontrarlas en las pectinas de las frutas.

⇨ Cuando comemos alimentos ricos en prebióticos, estas sustancias se fermentan en nuestro colon o en el intestino grueso, produciendo ácidos de cadena corta que son el «alimento» preferido de las células del intestino grueso para mantenerse saludable.

• **Los alimentos ricos en GLUTAMINA** —el nutriente de las células intestinales— también son beneficiosos para el intestino por su riqueza en nutrientes directamente asimilables (vitaminas del grupo B, minerales y oligoelementos). Algunos de ellos son estos:

–la col y la coliflor (si se toleran)
–las espinacas
–el perejil
–las nueces
–las almendras
–la lechuga
–el pescado

–la harina de algarroba
–los huevos de calidad
–las semillas germinadas

No lo olvides:

> Flora fermentativa = flora protectora
> Flora putrefacta = toxemia

No puedes comerte el mundo cuando hay un atasco de días dentro de ti, y mucho menos pensar con claridad cuando no hay fuego digestivo para asimilar nutrientes (e ideas) que salen rápida y dolorosamente.

Activa tu cuerpo y tu cabeza sin perdonar un solo día

No debería pasar un solo día en nuestras vidas sin haber realizado algún tipo de actividad física, por sencilla que sea, y no solo por todos los beneficios que conlleva (gastar calorías, activar la circulación, oxigenarse, eliminar toxinas, fortalecer defensas, despejar la mente, generar endorfinas, mover el intestino y evitar contracturas), sino para que las células de nuestro cuerpo hablen entre sí y la energía no se estanque.

Es, por poner un ejemplo, algo así como cuando un coche lleva mucho tiempo parado: a pesar de que se trate de un coche en buen estado, necesita de una corriente eléctrica que ponga en marcha todo el circuito de vez en cuando y movilice los neumáticos, o de lo contrario se estropeará con el tiempo.

Pues bien, en el caso de nuestro cuerpo, sucede lo mismo, y por eso, cuando escucho a la gente poner todo tipo de excusas para no moverse, o cuando oigo cómo muchas personas asocian el ejercicio a un objetivo puramente estético y nada más, no puedo dejar de preguntarme cómo hemos podido sobrevivir como especie hasta nuestros días. **Nuestro cuerpo está diseñado claramente para el movimiento y la expresión, y, si no se usa, se anquilosa.**

Está claro que tenemos una parte de nuestro cerebro compleja y dominante a la que no le interesa someter al cuerpo a grandes esfuerzos. ¡Ay, si el cuerpo hablase…! Aunque, en realidad, lo hace a su manera. Aprender su lenguaje es cuestión de atención, nada más.

Es sabido que liberamos endorfinas hasta horas después de haber realizado algún ejercicio: son las famosas hormonas de la felicidad y el bienestar.

Se ha demostrado que producen efectos celulares y moleculares del sistema nervioso central, al permitir comunicaciones más eficientes y rápidas entre las diferentes áreas cerebrales.

Por tanto, estar en forma es un deber humano.

Repárate durmiendo

¿Cuántos males nos evitaríamos si durmiésemos más y mejor?

Dormir no es solo un acto de relajación y descanso; gracias al sueño profundo se regeneran nuestras células, se reparan las estructuras, los órganos y la piel, y también se limpia el aparato digestivo. El sueño es curativo. De niños, crecemos mientras dormimos y, cuando llegamos a edades adultas, dormimos menos y le echamos la culpa de todo al estrés.

Ahora ponte en situación: llevas todo el día de aquí para allá con tu agenda multitarea, sometiendo a tu cuerpo y tu cabeza a una vibración energética más bien alta, rápida, y así llegas a la noche. Lo lógico sería que las decisiones que tomases a partir de las ocho de la tarde contribuyesen a la relajación paulatina del cuerpo para ayudarlo a entrar poco a poco en ese estado de sueño al que necesita llegar. ¿No?

Y ahora, dime: ¿de verdad sigues creyendo que hacer levantamiento de pesas al final del día, abordar esa discusión pendiente o atiborrarse de embutido a la hora de la cena van a ayudarte?

Por lógica, no, y menos si has visto el esquema de la energía de los alimentos que te pintaba en el capítulo 3.

Sin duda, el camino está en los ejercicios de relajación, un baño o ducha calientes, masajes suaves, música lenta, conversaciones calmadas y cenas tempranas a base de alimentos que relejen el sistema nervioso.

En el próximo capítulo te explicaré con más detalle cómo ajustar el cuerpo con las cenas, para prepararlo para un buen descanso que evite los temidos insomnios.

No nos engañemos, lo que se necesita después de todo un día de actividad es dormir.

Aplica la regla de los colores y las texturas

Aplícala cada día, juega mentalmente a combinar colores y pinta un cuadro con cada plato de comida. Ya te lo explicaba al principio del libro: las verduras de temporada no solo son importantes por su aporte extraordinario de vitaminas, minerales, clorofila y fibra, también son esenciales para promover el placer sensorial de todo un día. No olvides los colores:

→ **Naranja** de las verduras de raíz y de tierra, como la zanahoria, la calabaza o los boniatos.
→ **Blanco** de los bulbos como el nabo, el hinojo, las cebollas, los ajos, la coliflor o los puerros.
→ **Verde** de los calabacines, el brócoli, los espárragos trigueros, los guisantes, las judías verdes, los aguacates y el infinito mundo de las hierbas aromáticas.
→ **Rojo** y **morado** de los tomates, la remolacha, la lombarda y los pimientos.
→ **Rosado**, *beige* y **tostado** de las semillas, los cereales en grano, las carnes magras y los pescados.
→ **Dorado** de los aceites de calidad.
→ Y la maravillosa diversidad **multicolor** en las frutas de temporada.

¿Seguimos?
Fíjate en la cantidad de recursos que tienes para ponerle color a tu día a día, y con plena conciencia.
Lo mismo sucede con las **texturas**: si empiezas con una sopa o una crema, compensa con un segundo crujiente y aderéza-

lo con un buen aliño; si lo comes todo seco, te entrarán unas ganas enormes de texturas cremosas o aceitosas después; y al revés, si lo comes todo blando, al rato estarás asaltando la caja de galletas crujientes.

> No lo olvides, el equilibrio sensorial en tu menú es la clave que te ayudará a quedarte satisfecho.

Ahora ya sabes por qué a veces terminas de comer con la sensación de que te falta algo: no es hambre, es simplemente que tu menú no estaba bien equilibrado y, por tanto, no te has quedado satisfecho, y así no hay quien pueda comerse el mundo.

Una última advertencia: mucho ojo, hay una gran tendencia, en épocas de bajón, a tomar suplementos alimenticios por eso de prevenir, fortalecer, etcétera. Puede tratarse de comprimidos de magnesio, de antioxidantes, de vitamina D o de ácidos grasos omega 3. Lo cierto es que crece y crece el número de personas que toman suplementos cada día sin el asesoramiento previo de un profesional, influenciados por la publicidad o por la creencia de que así mejorarán su salud o evitarán carencias nutricionales.

Pero lo que resulta más grave todavía es que hay quien toma esos suplementos como sustitutivos de alimentos que no está dispuesto a incluir en su dieta por falta de costumbre, gusto, etcétera.

He aquí mi advertencia: lo que la mayoría de las personas no saben es que **los excesos pueden conducir a la deficiencia**, y es que, para que nuestro cuerpo asimile bien los nutrientes, debe haber una ingesta de **alimentos completos**.

Es decir, los complementos están destinados justo a cubrir ciertas carencias producidas normalmente por una dieta habitual incorrecta, por lo que el sentido común nos dice que lo primero que hay que corregir es la raíz del problema, la dieta.

Claro que hay grupos de población en situaciones especiales que pueden requerir de una suplementación temporal, como puede ser el caso de ancianos o niños desnutridos, mujeres embarazadas o en la menopausia, personas con anemia, que sufren enfermedades crónicas o deportistas. Pero la valoración de sus circunstancias debe ser diagnosticada y seguida siempre por un profesional de la salud.

Si, además, acostumbramos al organismo durante mucho tiempo a los suplementos, sin corregir la dieta, incurrimos en un problema todavía mayor de síntesis que podría desencadenar otro tipo de **alteraciones nutricionales**. Y lo que es peor incluso: puede que también se convierta en un problema de hábito y dependencia.

En mi opinión, nuestra asignatura pendiente sigue siendo **aprender a comer**, a prestarle a la comida la atención que se merece, a combinar y cocinar correctamente los alimentos con el fin de facilitar su asimilación.

Más pescado azul salvaje, más legumbres, más algas de mar, más fruta y verdura fresca, más semillas y más proteínas de calidad. Y nos ahorraremos, además de posibles disgustos de salud, una buena cantidad de dinero.

De postre, pasta de dientes

«A nadie le amarga un dulce», «Para el postre siempre hay espacio», o «Un día es un día» son frases hechas que nos solemos decir cuando nos traen la tentadora carta de postres en un restaurante. Y no digo que esté mal darse un capricho ocasional en un lugar donde realmente merezca la pena probar algo espectacular, tampoco si de probar el postre de tu suegra depende tu tranquilidad familiar…

… Pero no está de más recordar dos puntos sobre los postres:

1) El hecho de que te apetezca puede tener que ver con que el menú no estaba bien equilibrado en nutrientes y sabores, y por ello sientes la necesidad de compensarlo con dulce.
2) Los azúcares y las fructosas del postre, tomados a continuación de la comida, producirán fermentaciones incómodas en tu digestión, y con esto no me refiero al falso mito de no mezclar carbohidratos con proteínas en una comida; todo lo contrario: sabemos que el cuerpo está preparado para recibir alimentos «combinados», pues hasta unas legumbres o un sándwich de pavo contienen todos los nutrientes esenciales —entre ellos carbohidratos de absorción lenta— y se pueden digerir. Lo que sí varía es la velocidad a la que el estómago se vacía. Por eso, si comes solo hidratos de carbono en una comida, volverás a tener hambre en poco tiempo.

En realidad me refiero a que tomar postres cargados de azúcares simples y fructosas justo después de una comida completa (en la que hay grasas, proteínas y almidones) ralentizará tu digestión y seguramente te provocará sensación de hinchazón por haber tenido que fermentar y permanecer en el estómago con el resto de los nutrientes más tiempo de lo normal.

Para cerrar una comida a gusto, me funcionan muy bien **dos hábitos:**

- **Tomar una infusión digestiva al terminar**, ya sea de regaliz, jengibre, hinojo, anís, menta o manzanilla.
- **Lavarme los dientes inmediatamente después**, lo que me deja una sensación en la boca de limpieza muy agradable.

Ese sería el mejor de los postres: el placer de saber que, al terminar de comer, te has quedado mejor de lo que estabas antes de empezar.

Cogerás la merienda con ganas y sin remordimientos.

Date el gusto de hacer la compra en modo consciente

Estarás pensando: «Bueeeeno… Ya he dicho que no me gusta cocinar, ¡y ahora encima pretendes que disfrute haciendo la compra!».

En fin, hagamos una paradita. Ya verás, déjame que te cuente una curiosidad: hace solo treinta años, lo *fácil* en alimentación se relacionaba con el uso de alimentos básicos, conocidos, vitales, frescos, y con sistemas de cocción tradicionales del tipo «llama baja» o «fuego lento».

Existía también una cierta involucración de la persona en

el proceso de recogida o selección, también del cocinado, del consumo y de la digestión. Y, como consecuencia de ello, se tomaban alimentos vitales con gran concentración de nutrientes esenciales y cocinados con efectos energéticos moderados.

Ahora esto ya no es así. Digamos que hoy en día lo *fácil* en alimentación es justo lo contrario: que no haya que pensar o, mejor dicho, que no haya que hacer casi nada. Existe en nuestros tiempos una escasa atención en el proceso de compra, cocinado, consumo y digestión.

¿Qué más cosas ocurren en relación con la comida?

- Por un lado, sufrimos un bombardeo constante de publicidad alimentaria en todos los formatos imaginables destinado a fomentar el «no pensar».
- Por otro, abusamos de «parches» medicinales y suplementos desconocidos hace treinta años y sin los cuales ahora parece que no podemos vivir.

Como consecuencia de este nuevo escenario, se consume una gran cantidad de **alimentos desvitalizados, de baja calidad nutricional y pobre absorción**. Y todo porque el modelo de compra de la sociedad actual tiende al impulso y a las decisiones no previstas en el punto de venta.

Sin embargo, y como contraposición positiva, empujados por el aumento de amenazas contra nuestra salud de los últimos tiempos, **comenzamos a creer en las propiedades preventivas y curativas de los alimentos**.

Así, nos estamos empezando a convencer de que la enfermedad no es solamente un capricho del destino o de la genética, sino generalmente el resultado de la elección de vida que hacemos, y esto nos lleva a creer que todos tenemos que velar por nosotros mismos. Nadie más va a hacerlo. Cada uno de nosotros es dueño de su propio cuerpo y la responsabilidad final de su estado es nuestra.

Por eso, **mantener la salud por esfuerzo propio es el futuro que nos espera.** Nos convertiremos en nuestros propios expertos, nuestros propios investigadores.

Y eso pasa, inevitablemente, por elegir bien lo que metes en la cesta de la compra y guardas en tu despensa. Ya lo dijo Jordi Ardid en su entrevista para *Es fácil ser verde:* «El alimento peor y más extraño es el que más se conserva».

Cuidarse, así pues, empieza con la organización de la despensa, elegir lo que consideramos nuestros alimentos básicos, la gasolina del día a día; buscar los espacios más convenientes para conservarlos; tener claro el presupuesto semanal del que disponemos; planificar la agenda, las actividades que voy a realizar y, con todo ello, **hacer una lista sincera de necesidades.**

Si algo nos han enseñado esta pandemia y las adversidades climáticas como la borrasca Filomena, es a **optimizar los recursos que tenemos en la despensa** y a encontrar la forma de sacarles todo su provecho, buscando sencillez y sabor. Tareas como aprovisionarnos con lo imprescindible, elaborar nosotros mismos platos que en otras circunstancias comprábamos cocinados y planificar menús familiares recuperando las recetas de siempre empiezan a tener la importancia que se merecen en nuestras vidas.

Por otro lado, y siendo las compras *online* un avance extraordinario, entrar en un mercado sigue siendo una buena oportunidad para despertar la curiosidad por los olores, los colores, los estímulos, etcétera, y observar si nos sentimos atraídos de alguna manera por productos que no estaban en la lista de los «básicos».

Mis recomendaciones para una compra consciente

1. Sentarse quince minutos, un día a la semana, para organizarse mentalmente, respirar, bajar el ritmo y repasar la despensa y la nevera.
2. Coger libreta y boli y apuntar:

    → Por un lado, los **alimentos de la despensa**, que solo vamos a reponer cada quince o veinte días: cereales, legumbres, algas, frutos secos, leches vegetales, semillas, especias y condimentos de cocina.
    → Por otro lado, los **alimentos frescos para la semana**: frutas, verduras, pescado, huevos, etcétera.

3. Decidir un presupuesto/gasto aproximado antes de salir de casa y apuntarlo en la libreta.
4. Comer antes de salir a comprar y no ir con el estómago totalmente vacío.
5. Ya en el supermercado o en el mercado, tocar, oler, observar los productos frescos (frutas y verduras), abrir las cajas de los huevos, el pescado fresco o congelado de calidad…
6. No es cuestión de pasarse tres horas mirando las etiquetas de cada producto que se elige, pero sí de escoger preferiblemente productos sencillos, no procesados. Evitar alimentos

desvitalizados, embolsados, enlatados, enriquecidos o congelados.

7. Una vez que se ha llenado la cesta de la compra, pensar si hay algo que se pueda dejar, todavía estamos a tiempo. Podemos plantearnos: ¿qué pensamiento ha rondado por nuestras cabezas, qué sensación física o qué sentimiento se ha apoderado de nosotros cuando hemos cogido un determinado alimento? ¿Hemos sentido «hambre de estómago», «hambre de corazón» o «hambre mental»?

8. Y, por supuesto, no debemos olvidarnos de disfrutar de los pequeños comercios especializados: además de la calidad que ofrecen, no hay nada como el trato humano y atento, el asesoramiento profesional y la socialización en las tiendas, aunque sea para hablar del tiempo. **Una compra consciente es la que se disfruta.**

Cómo hacer una lista de la compra eficiente

1. Considerar el número de personas en nuestro hogar y sus necesidades basándonos en su edad, horarios, gustos, actividad y gasto energético.

2. Escribir un presupuesto para las compras semanales de comida.

3. Planificar de forma aproximada varios tipos de menús para la semana.

4. Desarrollar la lista de alimentos en dos bloques:

① Básicos de despensa **una vez al mes**: «despensa» y «botes».
② Frescos **una vez a la semana**: vegetales y proteínas.

5. Decidir dónde y cuándo realizar una compra consciente, una vez cerrada la lista, así como cuánto tiempo se va a dedicar a la compra.

Prueba veintiún días comiendo «del CENTRO»

Incorporar pequeños esfuerzos a nuestro día a día es todo un arte, y, sin duda, es lo que hace que un cambio de hábitos sea efectivo. Cuando reconoces lo que te sienta bien, incorporarlo a un modo de actuación automático es el mayor regalo que puedes hacerte, como cuando recoges el lavavajillas mientas hablas por teléfono, que al rato no te explicas cómo han llegado los cubiertos al cajón. Pues con esto es lo mismo: elegir los componentes de tu menú (tanto si lo cocinas como si lo eliges en un restaurante) se puede convertir en algo sencillo y automático una vez que lo archivas en el disco duro. Y para ello, según dicen los expertos, necesitas repetir ese proceso veintiún días seguidos.

Hazte un plan de pequeñas incorporaciones, cada tres días, por ejemplo. No pretendas llevarlo a cabo todo de golpe. Puedes comenzar poniendo toda tu atención en las tardes/noches, empezando por adelantar la hora de la cena, y hacerlas lo más suaves y digeribles posible.

Esto no quiere decir que te quedes con hambre, sino que selecciones bien los ingredientes de tu menú y optes por aquellos alimentos que, siendo frescos y de temporada, puedes cocinar en formatos sencillos, como al vapor, hervidos, horneados en invierno, o en sopas, cremas o compotas.

Los guisos, las carnes, los embutidos, las harinas y los huevos es preferible que los dejes para el mediodía; lo que buscamos es que te nutras y contribuyas a la vez a relajar tu sistema nervioso, asegurándote un buen descanso y un buen despertar al día siguiente. Este es uno de los cambios más agradables de experimentar, porque te predispone a empezar el día con energía renovada. Así, cada dos o tres días puedes ir incorporando algunas de las alternativas propuestas para los desayunos y las comidas de mediodía.

Céntrate sobre todo en componer menús basados en los alimentos de la zona centro del esquema del capítulo 3, y siguiendo las siguientes fórmulas:

1. **Fórmula mediodía:**

a. Proteína (legumbres, pescado, pollo bio, huevo bio o carne magra bio).
b. Vitaminas y minerales (verduras de temporada, variadas en colores, cocidas y frescas o algas de mar).
c. Grasas insaturadas (aceite de oliva virgen) y ácidos grasos esenciales (omega 3 y 6).
d. Carbohidratos de absorción lenta (arroz integral, espelta, sarraceno, quinoa, mijo o avena).
e. Cantidades según la persona (lo importante es que haya proporción al estilo «plato de Harvard»).
f. Recuerda terminar con una infusión digestiva e, inmediatamente después, lávate los dientes.

2. Fórmula tarde/noche:

a. Lo ideal sería empezar las cenas con un caldo o crema de verduras, donde ya puedes incluir el punto c o el d.
b. Proteína, preferiblemente pescado blanco o de origen vegetal.
c. Verduras de hoja verde ligeramente cocinadas.
d. Verduras de raíz redondas y dulces, cocinadas con calor (calabaza, zanahoria, cebolla, boniato o nabo).
e. Carbohidratos de absorción lenta, solo si la condición de la persona lo requiere (por edad, actividad, o si la ingesta ha sido incompleta durante el resto del día).
f. Evitar crudos por la noche.
g. Buenos aceites crudos y en cantidad moderada (oliva, sésamo o lino).
h. Infusión relajante.

3. Fórmula desayuno:

a. Despertar el cuerpo con bebidas cálidas y alcalinas, tipo té kukicha, té verde, té matcha o café de cereales. Hay a quien le va bien tomar agua templada con limón durante una temporada.
b. Unos minutos después, estarías preparado para un desayuno completo dependiendo de tus apetencias, circunstancias personales y gasto energético de la mañana, pero siempre a base de:
–Vitaminas procedentes de fruta fresca o licuado natural.
–Un carbohidrato de absorción lenta, sea avena, crema de arroz, pan integral o semillas.

–Grasas beneficiosas: aceite de oliva, aguacate, kéfir de cabra, mantequilla de semillas de sésamo o mantequilla clarificada ghee.

–Proteínas ligeras: huevo cocido, kéfir de cabra, pavo natural, salmón ahumado sin azúcar, jamón ibérico, etcétera.

4. Y si eres de los que no paras o pasas muchas horas de ayuno hasta llegar a la siguiente comida, apúntate a los **tentempiés** del capítulo 3.

Y así, pasito a pasito, se recorre el camino de los veintiún días; un camino de grandes descubrimientos personales en el que, utilizando la **conciencia** y la **moderación**, tus sensaciones físicas y sensoriales empiezan a transformarse. Solo te pido que te des la oportunidad de probarlo y me lo cuentes.

Capítulo 7:
Remedios naturales para ayudar al organismo en situaciones de desajuste

Una guía para empezar a vivir

No sé si te habrá pasado alguna vez, pero, cuando sientes algún tipo de malestar en el cuerpo, se te quita el apetito, o directamente no sabes qué es lo que te conviene comer para mantenerte nutrido y no debilitarte mucho.

Yo misma he cometido disparates de muchos tipos con las comidas elegidas en momentos de malestar y, lo peor de todo, sin saberlo, provocando con ello una noche de insomnio, un dolor de cabeza más agudo, una descomposición intestinal más duradera de lo normal, más picores en la piel o más frío o estrés del que ya padecía por mí misma.

Ahora pienso que muchas de las cosas que me ha llevado años aprender a base de empeño, estudio y observación deberían ser una asignatura obligatoria en la enseñanza primaria o, yendo un poco más allá, deberían formar parte de una **guía básica de supervivencia** que cualquier persona debería aprender.

Porque está demostrado que, si le damos al cuerpo los alimentos convenientes, este hará lo correcto. Si lo intoxicamos, se defenderá. Es nuestra elección de cada día, también nuestra mayor responsabilidad.

Es evidente que el origen de estos desajustes habituales puede ser muy diverso, y sin entrar en tratamientos clínicos de la medicina moderna —algo que se sale por completo de mi competencia—, voy a explicarte, desde un punto de vista energético[2] y con remedios caseros, cómo deberíamos comer en cada uno de los casos siguientes para ayudar al cuerpo a recuperarse mejor y más rápido, devolviéndole su equilibrio y no entorpeciéndolo o «parcheándolo» de forma rápida y transitoria.

Lo primero que debemos entender es que todo desequilibrio, en cualquier parte (cuerpo, mente o emociones), suele ser el resultado de una falta de armonía entre nosotros y lo que nos rodea. Ya lo dijo Edward Bach en su libro *Heal Thyself*, nuestro organismo tiene una capacidad natural de sanarse si cuenta con las herramientas adecuadas: defensas, anticuerpos, buena calidad de sangre, energía…

Insisto, no estamos hablando de enfermedades crónicas, sino de desajustes comunes provocados en muchos casos por

2. Mis recomendaciones en las páginas que siguen vienen avaladas por estas fuentes:
— *Medicina energética*, Patrick Veret, ed. Everest.
— Instituto Profesional de Estudios de la Salud.
— *Medicina china tradicional. Vivir sin enfermar*, Liu Zheng, ed. Oberón.
— *Nutrición energética y salud: bases para una alimentación con sentido*, doctor Jorge Pérez-Calvo Soler, ed. Clave.
— *Alquimia en la cocina. La cocina energética para el cuerpo y el espíritu*, Montse Bradford, ed. Océano Ámbar.
— *Heal Thyself: Explanation of the Real Cause and Cure of Disease*, Edward Bach, ed. C. W. Daniel.

falta de atención a los primeros síntomas y que, de alargarse, pueden resultar bastante molestos o, incluso, complicarse.

Y como ya te habrás dado cuenta si has leído los capítulos anteriores, todos los seres vivos somos energía, no se salva nadie, y los alimentos también. Por eso interactuamos con ellos cuando los consumimos, y por eso también producen en nosotros un efecto, una sensación determinada.

Vamos a ver entonces cómo podemos aprovecharnos de esos efectos energéticos que tanto los alimentos como algunas plantas o hierbas aromáticas pueden proporcionarnos cuando más falta nos hacen, en lugar de pelearnos con la comida.

A continuación te ofrezco una lista en la que no están todas, pero sí muchas de las situaciones de desajuste más comunes que podemos sufrir. Para cada una de ellas, en este capítulo, te ofreceré remedios que tienen que ver con la elección diaria de alimentos.

¡Allá vamos!

Frío interno
De dónde puede venir, origen del desajuste

Posiblemente haya detrás debilidad digestiva, estancamiento de metabolismo y un exceso de comidas crudas o bebidas frías. O bien falta de sueño, sedentarismo, muchas horas delante de dispositivos electrónicos o emociones intensas de tristeza, apatía, impacto nervioso o preocupación. También falta de exposición a la luz del sol y poco contacto con la naturaleza, así como tensión baja, desmineralización o un índice de masa muscular bajo.

Síntomas:

- manos y pies fríos
- estómago vacío
- dispersión mental
- sensación de cuerpo frío a nivel interno

Alimentos que conviene evitar y reforzar

→ **Evitar** exceso de agua, licuados de frutas y verduras, fruta fresca, bebidas frías, leche, yogures, azúcar, golosinas, ensaladas crudas, apio, pepino, tomate, cebolla y ajo crudo.

→ **Reforzar** caldos de huesos, sopas y cremas de verduras caseras, sopa miso, arroz integral cocido, estofados y guisos suaves, legumbres bien cocinadas e infusiones de raíz de jengibre, tomillo, regaliz o romero.

⇨ Además, es importante abrigarse bien la zona lumbar y el abdomen, con prendas de algodón y, si hay posibilidad de reposo, una manta de calor, bolsa de agua caliente o paños calientes en esa zona.

Sistemas de cocción o preparación idóneos

Guisos a fuego lento y llama baja, horno y plancha. De forma esporádica, fritos ligeros hechos en casa con aceite de oliva.

Recetas que ayudan (y que encontrarás en el recetario final)

2 – 13 – 18 – 19 – 39 – 44

Calor, sofocos
De dónde puede venir, origen del desajuste

No se trata de un mal exclusivo de mujeres menopáusicas: he conocido a hombres con molestias similares, y les hacen la vida bastante incómoda, especialmente cuando se encuentran en sociedad.

Los sofocos suelen tener una estrecha relación con el consumo recurrente de carnes, huevos, sal, productos horneados, refinados, picantes y alcohol, así como con el tabaquismo. También con la falta de hidratación entre comidas y el déficit de consumo de alimentos frescos. El agua actúa como regulador de la temperatura corporal y es un estabilizador térmico capaz de mantener la temperatura del organismo relativamente constante, por eso es tan importante beber suficiente líquido sin llegar al punto de obsesionarse con llevar una botella de agua a todas partes.

Otras causas de los sofocos pueden ser desajustes hormonales, bajada del nivel de estrógenos en mujeres y de testosterona en hombres, hipertiroidismo, hipertensión, obesidad o índice de masa corporal alto, estrés no liberado, ansiedad, exceso de movimiento o exposiciones largas al sol.

Síntomas:

- sudores en reposo
- sensación de calor extremo tanto interno como externo
- nerviosismo

Ingredientes que conviene evitar y reforzar

Lo primero que suele hacer una persona con sofocos es tomar bebidas muy frías, sin tener en cuenta que el efecto rebote será todavía más agudo. Y esto tiene una explicación sencilla: cuando la temperatura del cuerpo se distancia mucho de la temperatura del exterior, el organismo reacciona bruscamente como señal de que necesita activar todas sus funciones termorreguladoras para equilibrarse. Por eso, cuando tenemos mucho calor y tomamos un helado, parece que al principio se alivia la sensación, pero unos minutos después puede inundarnos una sensación de calor todavía mayor. Es igual que cuando nos abrigamos mucho en casa y, al salir a la calle una tarde de invierno, sentimos un frío espantoso, porque hemos distanciado mucho la temperatura corporal de la exterior. El ejemplo lo tienes en los beduinos, que toman el té muy caliente en pleno desierto, porque así el cuerpo no tiene que trabajar tanto para estar a la temperatura adecuada para asimilar el calor, y su sensación térmica interna durante el día es mucho más tenue.

Por tanto, basándonos en lo que acabamos de explicar:

→ **Evitar:** alimentos muy fríos como el hielo, también el alcohol, la sal, la carne roja, picantes como el chile, el jengibre, la pimienta, la salsa de soja y el miso.
→ **Moderar** el consumo de aceite. No tomar fritos ni horneados.
→ **Reforzar** frutas de temporada y a temperatura ambiente, sopas templadas de hortalizas, pepino, aguacate, pescado blanco, apio, patés vegetales, brotes verdes, tomates cherry, endibias, zanahoria rallada, limonada casera, kéfir de cabra u oveja, kiwis, bebida de arroz, infusiones templadas de menta y hierbabuena, y especias como eneldo, albahaca o cardamomo.

Sistemas de cocción o preparación idóneos
Frescos, licuados, vapor, hervidos.

Recetas que ayudan (y que encontrarás en el recetario final)
4 – 11 – 17 – 27 – 49

Ansiedad, estrés
De dónde puede venir, origen del desajuste
¿Quién no ha sentido alguna vez que no llega a todo lo que la vida le está pidiendo, con desafíos a veces imposibles? Parece como si hasta los pulmones se empequeñeciesen, porque respiramos de manera corta y rápida. Nos movemos por impulsos nerviosos que llevan en ocasiones a consumir alimentos de efectos extremos como la sal, el alcohol, el azúcar, la cafeína, la carne roja, los quesos curados o los vinagres.

La ansiedad tiene que ver normalmente con un temor anticipado a un peligro futuro de origen desconocido o poco preciso, lo que nos hace sufrir un intenso malestar mental que provoca el sentimiento de no poder controlarlo todo.

Mi consejo es que, cuanto más preocupado o estresado estés, más simple debe ser tu comida.

El estrés no es otra cosa que mi deseo de querer tenerlo todo bajo control. Soy más feliz cuando dejo de querer controlar lo que sé que no puedo controlar. Qué herramienta tan potente la conciencia, sobre todo porque, al reconocerla, se transforma en energía.

Síntomas:
- palpitaciones
- aumento de tensión
- angustia
- sudor en las manos
- respiración entrecortada
- insomnio
- problemas de concentración
- tensión muscular
- intenso malestar mental

Ingredientes que conviene evitar y reforzar

→ **Evitar** carnes rojas, café, alcohol, bebidas de cola, chocolate, azúcares refinados.

Sobre todo, **evitar en las cenas** alimentos de energía contractiva, como es el caso de las carnes, las grasas, los huevos y las harinas refinadas.

→ **Recomendables:** carbohidratos complejos como el arroz integral, la quinoa o el trigo sarraceno; verduras de raíz, redondas y dulces, como la cebolla, la calabaza, las zanahorias, el boniato, el hinojo o el nabo; legumbres; compotas naturales de frutas, manzana asada; levadura de cerveza; pescado; vegetales de hoja verde; yogur de oveja natural o kéfir de cabra desnatado; frutas secas; algas; aguacates; espárragos; albaricoques, plátanos; brócoli; melaza de arroz.

Plantas que ayudan en forma de infusión: hisopo, hipérico o planta de San Juan, flor del tilo, flor de lúpulo, hojas de pasionaria, raíz de valeriana, flor de espliego, melisa, manzanilla…

→ **Reforzar** con aromaterapia de aceite esencial de lavanda, de sándalo, de bergamota, melisa o limón.

⇨ Y, por supuesto, dormir mínimo 7 u 8 horas al día, respirar con conciencia y hacer ejercicio al aire libre.

Sistemas de cocción o preparación idóneos

Todas las cocciones lentas y largas relajan: estofados, purés, horneados, papillote.

Recetas que funcionan (y que encontrarás en el recetario final)

3 - 6 - 7 - 12 - 14 - 16 - 18 - 23 - 24 - 48

Debilidad, falta de energía o ánimo
De dónde puede venir, origen del desajuste

Mantener el tono vital alto no es tarea fácil para nadie, en algún momento de la vida todos podemos sentir falta de energía, desánimo o incluso temores y falta de fuerza de voluntad, etcétera. Ojo, puede que los riñones se hayan debilitado también.

Este es uno de los desajustes más habituales en la actualidad, provocado por un estilo de vida desconectado de las necesidades más básicas del organismo y sostenido en el tiempo. Puede venir de un consumo excesivo de alimentos procesados y envasados, alimentos sin vida, que desmineralizan; también puede deberse a una flora intestinal dañada, mala absorción de nutrientes, niveles de ferritina bajos, anemia de glóbulos rojos, falta de horas de descanso, estrés nervioso, sobreesfuerzos físicos y contracturas musculares.

Síntomas:

- debilidad física
- flojera
- pocas ganas de emprender actividades
- ánimo bajo

Ingredientes que conviene evitar y reforzar

→ **Evitar** todo lo que someta al cuerpo a picos energéticos extremos, es decir, los famosos bajones y subidones rápidos, así como alimentos difíciles de digerir, pues se nos irá gran parte de la energía orgánica en procesarlos y apenas nos quedará vitalidad para otras funciones. Es el caso del consumo de productos desvitalizados y procesados, grasas saturadas, azúcares, chocolate, bebidas frías, refrescos, alcohol, frutas tropicales, café y té negro; así como el exceso de embutidos y quesos curados.

Tampoco es recomendable abusar de las verduras solanáceas como el tomate, los pimientos, las berenjenas y las patatas, por su efecto desmineralizante a largo plazo.

→ **Reforzar:** variedad de verduras de temporada cocinadas ligeramente para conservar al máximo su vitalidad; alimentos fermentados; jalea real; levadura de cerveza; pescado de todo tipo; marisco; carnes magras ecológicas con moderación; legumbres; huevos; cereales completos, como el arroz integral, el trigo sarraceno, el mijo, la avena, la quinoa o el cuscús; sopas y caldos de huesos, sopa miso, algas de mar; guisos y estofados caseros; plátanos; frutos rojos; albaricoques secos, dátiles, miel y frutos secos con moderación.

⇨ Plantas que ayudan en forma de infusión: té matcha, té verde, té de jengibre fresco, té de menta.

⇨ Suplementos naturales revitalizantes, siempre bajo la supervisión de un profesional de la salud: verde de alfalfa, raíz de *ginseng*, raíz de maca, raíz de guaraná, jalea real o levadura de cerveza enriquecida con vitamina B12.

⇨ Otras recomendaciones:
- aplicar calor seco en la zona de los riñones y utilizar buenas camisetas de algodón;
  −masajes con aceite de almendras dulces y esencia de romero, que activa la circulación;
  −aromaterapia con aceites esenciales de limón o naranja;
- reducir al máximo la conexión con la tecnología, redes sociales, etcétera, para recuperar la conexión interior con uno mismo;
- activar el cuerpo ejercitándolo cada día, preferiblemente al aire libre;
- mantener contacto con la naturaleza;
- conversar con buenos amigos;
- dormir todo lo que se pueda, al menos 7-8 horas al día, y hacer un descanso de 20 minutos a mediodía;
- escuchar música agradable y animosa;
- bailar, que es muy importante: bailar y bailar.

Sistemas de cocción o preparación idóneos

Preferiblemente guisos caldosos, y sistemas de activación, como los salteados rápidos o los sistemas de cocción cortos para preservar al máximo los micronutrientes (wok, hervido, vapor). Crudos con moderación.

Recetas que funcionan (y que encontrarás en el recetario final)
16 – 34 – 36 – 42 – 43 – 45

Dolores de cabeza, cefalea
De dónde pueden venir, origen del desajuste

Durante mis años de formación en el ámbito de la salud, uno de mis grandes descubrimientos fue entender el origen de los dolores de cabeza que en alguna ocasión minaban mi bienestar. La de veces que, estando en la oficina, notaba esas desagradables punzadas en las sienes y acudía rápidamente a algún medicamento de efecto rápido que me permitiese seguir con lo que estaba haciendo. Al «parchear» esas llamadas de atención del cuerpo, lo único que conseguía era agravar más el malestar a lo largo del día.

Sin duda, la sobrecarga mental y visual al permanecer ante una pantalla de ordenador durante horas, una mala postura corporal en mi silla de trabajo o la falta de aire fresco y movimiento tenían mucho que ver, pero lo que más me ayudó a corregir este desajuste fue atender el estado de mi intestino. Sí, como lo oyes, y es que la flora intestinal tiene mucho que decirle a la cabeza. Para darse cuenta de ello, solo hay que observar cuánto cuesta concentrarse en algo cuando hay descomposición de vientre, o la pesadez y la lentitud de cabeza que sentimos cuando sufrimos estreñimiento.

Hay una conexión directa entre la salud de la microbiota, los neurotransmisores intestino-cerebro y los distintos estados neuronales; son muchos los estudios que así lo demuestran en la actualidad, y existen libros al respecto, obras muy aclaratorias, como *La increíble conexión intestino cerebro*, de Camila Rowlands.

Desde un punto de vista naturista, el dolor de cabeza es el emisario de otro desajuste, principalmente por desarreglos del aparato digestivo, estreñimiento crónico, estrés, ingesta de alimentos muy fríos o ricos en nitritos o glutamato monosódico, alimentos con niveles altos de histamina (todo lo enlatado, congelado, encurtido o fermentado), etcétera, pero también puede venir de una mala alineación de mandíbulas y dientes, por bruxismo (que causa el rechinar de los dientes por la noche), o por alguna patología de la columna vertebral, o incluso también por desarreglos en la menstruación.

Síntomas:

• dolores localizados en zonas difusas en la cabeza, a veces en las sienes, alrededor de los ojos, la nuca, el cuello o los músculos de la cara.

Ingredientes que conviene evitar y reforzar

→ **Evitar:** se desaconsejan los alimentos ricos en prostaglandinas, es decir, los ácidos grasos de la familia omega 6 presentes sobre todo en semillas y frutos secos, como los cacahuetes; de igual modo, conviene evitar el chocolate, el alcohol, los azúcares, el café, los quesos y los alimentos con aditivos como aspartamo o glutamato monosódico. Evitar también las salsas, los embutidos, la bollería y el exceso de aceites y fritos.

→ **Recomendable:** llevar una dieta lo más natural posible y fácil de digerir, sin productos procesados, salsas ni alimentos muy salados.

→ **Reforzar:** frutas y verduras con alto contenido en agua y que ayuden a depurar el hígado de posibles histaminas u hormonas del estrés, causantes en muchos casos de los dolores de cabeza. Las alcachofas y las verduras de hoja verde ayudan a eliminar toxinas del cuerpo. Vegetales y frutas con efecto pre y probiótico, como ya explicaba en el capítulo anterior al hablar de los factores que favorecen una flora intestinal saludable.

Hidratarse es fundamental, y un buen recurso eficaz es tomar de dos a tres infusiones de raíz de jengibre fresca al día, también zumos de limón y menta.

⇨ Aromaterapia que ayuda: aceites esenciales de citronela, eucalipto, manzanilla, menta, romero, salvia, tomillo, pomelo y violeta. Respiración profunda.

Sistemas de cocción o preparación idóneos
La simpleza es fundamental en este caso, sistemas ligeros y de cocciones cortas, como al vapor, plancha o frescos. Usar poco aceite.

Recetas que funcionan (y que encontrarás en el recetario final)
8 – 15 – 21 – 22 – 28 – 48

Estreñimiento
De dónde puede venir, origen del desajuste
Uno de los indicadores de salud más importantes tiene que ver con el tránsito intestinal diario, porque todo lo consumido debe ser digerido, asimilado de forma eficiente y eliminado. No puede ser de otra manera. Cada vez conozco más gente a la que le

parece lo más normal del mundo visitar el baño cada dos o tres días, o incluso cada más días, y que se asombra cuando hablamos de la supuesta «obligatoriedad» de evacuar a diario y, si es posible, cada día a la misma hora. Piensa en la cantidad de toxinas y bacterias que se acumulan en tu organismo a raíz de todas las reacciones químicas que se producen tras cada comida, por la propia fermentación de los alimentos, las fibras insolubles y otros compuestos. Es una cuestión de crear hábito y darle la importancia que tiene a la microbiota intestinal.

Las causas de la retención pueden ser diversas, desde dietas pobres en variedad, escasez de fibra vegetal o ácidos grasos esenciales hasta falta de orden en horarios y composiciones de comidas, escasa hidratación, abuso de harinas refinadas y azúcares, ingesta de demasiados crudos o demasiada sal, huevos y horneados, pasando por un tránsito intestinal estancado por sedentarismo, emociones retenidas o exceso de preocupación.

Síntomas:
- presión en el vientre
- incomodidad
- malestar general
- dolor de vientre
- dolor de cabeza
- irritabilidad

Sistemas de cocción o preparación idóneos
Preferiblemente vapor, hervidos cortos y plancha, incluyendo caldos caseros y cremas de verduras sin patata. Evitar rebozados, fritos y horneados.

Ingredientes que conviene evitar y reforzar

→ **Evitar:** almidones del arroz blanco, pasta blanca, patatas, boniatos, quesos, harinas refinadas, picantes, condimentos salados, chocolate, manzanas, plátanos y azúcares.

→ **Recomendable:** además de beber suficiente agua entre comidas, es conveniente tomar, especialmente en la cena, verduras de hoja verde, como judías verdes, y una cucharada de aceite de lino.

→ **Reforzar:** menús con espárragos trigueros, brócoli, espinacas o alcachofas, setas, aceite de oliva virgen; semillas de lino, sésamo, girasol y calabaza (en pequeñas cantidades); arroz integral, cebada; ajo; copos de avena integral, quinoa o trigo sarraceno; proteínas magras de pescado y carnes blancas; kéfir de cabra desnatado; almendras crudas; ciruelas pasas, dátiles; pepinillos, encurtidos; jengibre; frutas del bosque, kiwis, papaya y piña.

Infusiones de ortiga verde, alcachofera, cola de caballo y diente de león para ayudar a depurar.

⇨ Y, por supuesto, es fundamental realizar alguna actividad física suave y regular que movilice el intestino, relajarse y realizar automasajes en la zona del vientre con aceite de almendras en la dirección de las agujas del reloj.

Recetas que funcionan (y que encontrarás en el recetario final)
1 − 5 − 26 − 32 − 40 − 49

Diarrea

De dónde puede venir, origen del desajuste

No es lo mismo una diarrea que un cólico intestinal. La diarrea es un mecanismo de autodefensa del cuerpo que surge para hacer frente a la invasión de gérmenes o materias nocivas o perjudiciales que lo invaden en alguna ocasión.

Haber comido algo en mal estado, alimentos antinaturales, así como el alcohol, el café o el tabaco, o microbios o parásitos intestinales pueden ser parte del origen del desajuste, además de un sistema nervioso alterado, miedos, disgustos, estreñimiento prolongado, inflamación, celiaquía, candidiasis o «emociones difíciles de digerir».

También puede que haya un exceso de acidez en la sangre provocado por el consumo excesivo de frutas tropicales, lácteos, helados, alcohol, refrescos, azúcares, aditivos, alimentos crudos y fríos, verduras solanáceas, como el tomate o los pimientos, exceso de semillas, fibra, grasas o incluso por falta de equilibrio en los menús y atención a la hora de comer. Las prisas suelen ser malas compañeras.

El factor importante ante una diarrea es una buena hidratación y reposición de minerales, y, sobre todo, tener en cuenta que no debería ser cortada agresivamente con fármacos en las primeras horas (un tiempo relativo a la persona y grado de descomposición), ya que con ello impedimos que el organismo expulse las materias extrañas que quedan retenidas en él, lo que agrava el malestar e irrita aún más las paredes intestinales.

Síntomas:

- molestias o dolores de vientre, retortijones;
- debilidad general como consecuencia de una deshidratación y desnutrición del organismo.

Sistemas de cocción o preparación idóneos

Estofados de verduras de raíz a fuego bajo y sin apenas aceite, hervidos, vapor y horneados. Evitar fritos y salteados cortos.

Ingredientes que conviene evitar y reforzar

Una vez que se ha facilitado la expulsión a base de líquidos y se han repuesto minerales, es conveniente esperar a tener sensación real de apetito antes de obligarse a comer. El cuerpo dará la señal tan pronto como haya eliminado las toxinas que originaron las molestias. Llegado el momento, la incorporación de alimentos debe ser progresiva, atendiendo bien a las sensaciones de las primeras ingestas.

→ **Recomendable:** empezar con caldos caseros de verduras, especialmente col, y huesos de rodilla de ternera o pollo, purés de patata y zanahoria, puré de boniato, compota de manzana sin azúcar y zumo de limón.

Si se tolera bien, entonces podemos ir añadiendo algún cereal cocido suave, como el mijo o el arroz redondo, acompañando de un pescado blanco hervido o pechuga de pollo o pavo ecológicos.

El siguiente avance sería añadir sabor con bases ligeras de aceite de oliva virgen y verduras de raíz bien cocinadas, como cebolla, zanahoria, hinojo, calabaza, calabacines, etcétera. Se puede masticar una pizca de semillas de hinojo al terminar de comer para ayudar a digerir sin molestias. Y utilizar crema de ciruela de umeboshi en lugar de sal, en pequeñas cantidades, para dar un punto de sabor a la vez que ayudamos a alcalinizar el pH de la sangre.

→ **Evitar**: tomate, semillas, fibra, harinas, azúcares, cafeína, teína, alcohol, picantes, hierbas aromáticas, legumbres, bebidas vegetales, soja, frutas tropicales, salsas comerciales, edulcorantes artificiales y lácteos (a excepción de algún kéfir de cabra u oveja una vez que se empiezan a tolerar alimentos).

⇨ Infusiones que ayudan a aliviar y mejorar síntomas: de jengibre y limón, té de corteza de limón, manzanilla con anís, y mi favorita por ser muy efectiva, la infusión de semillas de hinojo y comino.

También va bien el té bancha con una pizca de umeboshi, o tomar una cucharadita pequeña al día de una raíz en polvo llamada kuzu, que actúa como almidón regenerador de la flora intestinal y que se disuelve en agua o zumo de manzana templado.

Recetas que funcionan (y que encontrarás en el recetario final)
3 − 7 − 10 − 24

Candidiasis
De dónde puede venir, origen del desajuste
La *Candida albicans* es un hongo que vive normalmente en los seres humanos como parásito, al igual que miles de bacterias

y otros microorganismos que habitan en nuestro cuerpo. Cuando el sistema inmunológico se debilita por estrés, alteraciones del sistema nervioso o agotamiento, este hongo puede crecer exageradamente y liberar toxinas que causan problemas de salud. Por desgracia, está siendo un mal sufrido por muchas mujeres en la actualidad que, como yo, han pasado por épocas extenuantes.

Hay que ser realmente disciplinados con la alimentación durante un tiempo para recuperar la salud intestinal y las sensaciones de energía, pero merece la pena el sacrificio. Y pienso, además, que ese «sacrificio» puede entenderse como una forma diferente de explorar con la comida en vez de como un castigo, ya que, de lo contrario, sería una tortura pensar todo el tiempo en lo que no se debe comer.

Normalmente la candidiasis suele estar relacionada con un desequilibrio de la flora intestinal autóctona beneficiosa para el organismo. Por eso se debe prestar especial atención a todo el sistema digestivo, en especial al intestino, donde se realiza la absorción de los nutrientes. Si en el intestino se hace proliferar un hábitat adictivo, ácido y dulce, la cándida se desequilibra y se puede expandir a otras partes del cuerpo.

Las dietas modernas altas en azúcar y productos procesados, así como el uso continuado de anticonceptivos y antibióticos, son factores que se ha demostrado que contribuyen a su proliferación, así que vamos a ponerle sabor y alegría a las «recetas anticándida», no vaya a ser que nos metamos en una relación bucle de amor-odio por las harinas.

Síntomas

Pueden ser muy variados:
- cansancio crónico
- inflamación abdominal
- picores en la piel
- problemas urinarios y de la vejiga
- flujo vaginal blanco y espeso
- irritabilidad
- diarrea
- alergias
- indigestión
- gases
- falta de memoria o de concentración
- ansiedad
- debilidad
- sistema inmunitario bajo
- deseo de dulces
- deseo de pan y horneados
- problemas de digestión del gluten del trigo
- pérdida de peso

Sistemas de cocción o preparación idóneos

Preferiblemente cocciones largas, a excepción de las verduras de hoja verde, que deben quedar siempre un poco crujientes y no pasarse demasiado. Vapor, hervidos, plancha y horno.

Se deben evitar los fritos y los crudos, menos algún licuado natural a temperatura ambiente. Y, sobre todo, huir de las texturas como mantequillas, patés, bollería o mayonesas.

Ingredientes que conviene evitar y reforzar

→ **Evitar:** en este caso es fundamental llevar a cabo una alimentación muy «medicinal», reduciendo al máximo todos los productos que contengan levaduras, hongos, fermentos, azúcares e hidratos de carbono refinados.

Evitar también grasas saturadas, vinagres, estimulantes, alcohol, lácteos, chocolate, embutidos salados, todas las frutas, derivados del trigo y de la soja, setas, cacahuetes, anacardos, pistachos y frutos secos tostados y salados (mejor almendras, nueces o avellanas naturales, sin sal) y agua del grifo.

→ **Reforzar:** por el contrario, conviene tomar mucho ajo, verduras como puerros, cebollas, apio, rabanitos, brócoli, berros, y judías verdes, algas, aceite de lino, pescado salvaje, pollo y pavo ecológicos, kéfir de cabra, trigo sarraceno, arroz integral, mijo, semillas de calabaza, lentejas rojas bien cocinadas y ciruela de umeboshi.

⇨ Como refuerzo, va muy bien beber a menudo té de Pau d'Arco, agua mineral, infusiones de tomillo, orégano o romero (sin endulzar) y utilizar un buen preparado de *acidophilus* para reestablecer el equilibrio de la flora intestinal.

Recetas que funcionan (y que encontrarás en el recetario final)
3 − 25 − 31 − 38 − 39 − 41 − 44

Resfriado común
De dónde puede venir, origen del desajuste

Suele ser un desajuste que implica una señal de cansancio extremo, cuando el cuerpo siente amenazadas sus defensas, bien por estrés, cambios de ritmo o temperaturas bruscas y, sobre todo, escasez de vitaminas protectoras en la alimentación y poco descanso.

Tiene que ver en muchos casos con el consumo excesivo de bebidas y alimentos fríos, azúcar y alcohol, pues esa energía fría en exceso es lo que el cuerpo intenta descargar en forma de estornudos, mucosidades y destemplamiento.

Es importante actuar tan pronto como aparecen los primeros síntomas, reforzando el sistema inmunitario con alimentos muy nutritivos y de energía potente, como los caldos de huesos, las sopas miso o la ciruela de umeboshi, y, una vez que se ha instalado el resfriado, deberíamos ayudarlo a eliminar los síntomas y no taparlos. Es decir, optaremos por alimentos y plantas que ayuden a expulsar la mucosidad, calmar el dolor de garganta, de cabeza, etcétera, para restablecer así poco a poco su equilibrio natural.

Síntomas:
- estornudos
- mucosidad
- cuerpo frío
- dolor de cabeza
- garganta irritada
- tos
- fiebre leve (en algunos casos)

Sistemas de cocción o preparación idóneos

Preferencia por cocciones ligeras y suaves, para facilitar una alimentación sencilla y no darle demasiado trabajo al organismo, por eso se evitarán los crudos, los fritos, los rebozados y los horneados pesados. Buscar el calentamiento interior a través de caldos e infusiones templadas.

Ingredientes que conviene evitar y reforzar

→ Aquí es fundamental distinguir en qué fase del resfriado estamos para actuar de forma coherente con lo que necesita el cuerpo y no ir en dirección contraria. Si estamos ante los primeros síntomas de enfriamiento, debemos actuar rápido y nutrir el cuerpo con simpleza, pero con alimentos ricos en vitaminas, minerales y probióticos naturales.

Lo primero que deberíamos hacer es **evitar** las bebidas y comidas frías, el alcohol, y todos los azúcares y lácteos. Una buena solución son los platos que fortalecen, como los caldos caseros hechos a base de verduras y huesos de rodilla de ternera o pollo, caldos de pescado, cremas de verduras (sin natas ni exceso de sal), sopas miso, estofados de verduras de raíz y guisos de legumbres con verduras y arroz.

→ Pero si por desgracia ya hemos cogido el resfriado tarde, cuando el malestar general se manifiesta con dolores de cabeza, estornudos y mucosidad, entonces no debemos obligarnos a comer sin apetito; en este caso, daremos prioridad a las infusiones templadas, especialmente el té de raíz de jengibre con limón, y a caldos suaves, con el fin de ayudar al cuerpo a eliminar mucosas y toxinas.

De nuevo, **evitaremos** azúcares, bebidas y alimentos fríos, además de lácteos de todo tipo, grasas, salsas, fritos, huevos, embutidos, pan y bollería, productos envasados con aditivos y, sobre todo, alimentos salados en exceso, que lo que hacen es retener toxinas y estancar la energía.

→ **Recomendable:** a medida que se vaya recuperando el apetito, se incorporarán alimentos naturales cocinados suavemente en el caso de las verduras o frutas en compota, sopas, caldos con repollo, purés de zanahoria, legumbres bien cocinadas con arroz integral o quinoa, mucho limón, mucho ajo, cúrcuma, cebolla, y recetas con algas de mar y pescado blanco.

⇨ Las infusiones que mejor van son las de jengibre con limón, tomillo, regaliz, salvia y manzanilla dulce. Gotas de extracto de equinácea o propóleo. Y mucho descanso.

Recetas que funcionan (y que encontrarás en el recetario final)
6 - 13 - 14 - 22 - 24 - 47

Cistitis
De dónde puede venir, origen del desajuste
La cistitis es de esos problemas que aparecen casi sin avisar, hasta que un día te quieres morir de dolor y te preguntas qué has podido hacer para llegar a esa situación. Se trata de una inflamación de la vejiga, normalmente debida a una infección bacteriana producida en la uretra, vagina o, en algunos casos más complicados, incluso en los riñones. Las causas pueden ser diversas, desde humedad y el frío hasta la alteración de la

flora vaginal, a veces por la práctica de relaciones sexuales, uso de ropa muy ajustada, tampones o por estreñimiento crónico.

Si además tu alimentación ha sido últimamente de energías extremas (carnes, alcohol, vinagres, azúcares o chocolate), el pH de tu sangre estará más ácido de lo normal y, por tanto, la propensión a infecciones de este tipo será mayor. Los alimentos y las plantas medicinales con acción diurética y desinfectante son muy recomendables en este momento.

Sin duda, ante una infección debemos acudir a nuestro médico, que valorará si es necesario prescribirnos un antibiótico.

Síntomas:
- sensación urgente de orinar
- micción dolorosa o dificultosa
- orina turbia
- dolor en zona baja del abdomen y en riñones
- malestar general

Sistemas de cocción o preparación idóneos
Excepto las frutas cítricas, las frutas y las verduras frescas van muy bien por su contenido en vitaminas antioxidantes y su aporte de agua. Preferiblemente cocciones ligeras y sin salsas ni condimentos fuertes: vapor, hervido, plancha y horno. Evitar fritos.

Ingredientes que conviene evitar y reforzar
→ **Evitar:** desde el primer síntoma, ya debemos dejar a un lado todo lo picante y condimentado, así como las bebidas gaseosas, con cafeína o alcohol. Evitar tomates y bebidas cítricas,

chocolate, azúcar, fritos, harinas refinadas, grasas saturadas, comidas procesadas y con el potenciador de sabor MSG (glutamato monosódico).

→ **Recomendable**: tomar mucho líquido, preferiblemente agua mineral y jugo de arándanos rojos, por su riqueza en taninos, quercetina y vitamina C, que impiden que las bacterias se fijen en las paredes urinarias.

→ **Reforzar** alimentos que fortalezcan la flora intestinal con bacterias beneficiosas, como es el caso de los alimentos fermentados: confitados, tempeh, miso, kéfir, y también semillas oleaginosas (sésamo, girasol o de calabaza). Prebióticos presentes en muchos vegetales como puerros, cebollas, espárragos, apio y alcachofas, así como fibra para regular el tránsito intestinal: mijo, arroz integral, quinoa, amaranto, avena, trigo sarraceno y legumbres bien cocinadas.

⇨ Perejil fresco e infusiones de manzanilla y milenrama, tomillo, cola de caballo, salvia, menta o brezo.

⇨ Las molestias se pueden aliviar con calor seco local y baños de asiento con agua templada y unas gotas de aceite esencial del árbol del té o lavanda.

Recetas que funcionan (y que encontrarás en el recetario final)
5 − 20 − 37 − 43 − 47

Eccemas y picores en la piel
De dónde pueden venir, origen del desajuste
La piel lo dice todo. Una piel limpia y sana es una piel libre de tóxicos, que se alimenta bien desde el interior. Es el reflejo de

lo que sucede en el aparato digestivo, de la calidad del oxígeno que respiramos y del estado en que se encuentra el sistema nervioso. Se dice que, cuanto mejor funcione el intestino, mejor aspecto tendrá la piel, ya que las toxinas se eliminan por las heces. Y todo está relacionado: granitos en la cara, eccemas, dermatitis, etcétera, son intentos de nuestro cuerpo por desintoxicarse.

Cuando los alimentos que ingerimos responden a las necesidades del organismo, basándonos en una nutrición completa y sin residuos que volcar y acumular en el torrente sanguíneo, las células se oxigenan adecuadamente y el sistema nervioso se armoniza.

Hay muchos tipos de reacciones en la piel o dermatitis atópicas ocasionadas a veces por alergias diversas: exposición al sol, radiaciones, plantas o animales; también por el contacto con algún químico o producto irritante. De igual modo, podemos sufrir dermatitis seborreica o por hongos.

Síntomas:
- enrojecimiento de la piel
- inflamación
- irritación
- dolor
- picor

Sistemas de cocción o preparación idóneos
Licuados frescos y ensaladas de brotes verdes. Cocciones ligeras, limpias y fáciles de digerir: vapor, hervido y plancha. Guisos caseros bajos en grasas. Evitar fritos y rebozados.

Ingredientes que conviene evitar y reforzar

→ **Evitar:** en ocasiones los problemas de la piel se relacionan con el consumo excesivo de alimentos procesados y envasados con aditivos químicos, azúcar, chocolate, fritos, quesos, lácteos de vaca, frutos secos, café, pimientos, berenjenas y tomate. Así como con todos los alimentos que contienen un nivel alto de histaminas, unas moléculas que fabricamos dentro de nuestras células, pero que, además, están presentes en mayor o menor cantidad en los alimentos que comemos. En principio esto no supone ningún problema, dado que la histamina es degradada en el intestino delgado por una enzima, pero, cuando se tiene un déficit de esta enzima, la histamina no se degrada y se acumula, lo que causa molestias e intolerancias.

Las histaminas se encuentran principalmente en latas de conserva, congelados, quesos cremosos, natas, puré de patata precocinado, embutidos, vino, soja, café, té, fresas, zumos procesados, aditivos, chucherías, bombones, claras de huevo y aceitunas.

⇨ Evitar sobre todo cosméticos y jabones con productos químicos.

→ **Recomendable:** es conveniente llevar una dieta baja en histaminas, donde abunden los alimentos frescos, con vitamina C, B6, zinc y quercetina (manzanas, uvas, frutas del bosque, frutos secos, alcachofas, cebollas, apio, batata, calabacín, zanahorias, ternera, pescado blanco y huevo —solo la yema—).

Se recomiendan también los cereales completos, preferiblemente sin gluten, como arroz integral, mijo, germen de trigo, levadura de cerveza, etcétera. También se puede recurrir a limpiezas internas a base de aloe vera bebible, siempre bajo la supervisión de un profesional de la salud. Solo entonces la piel estará receptiva a tratamientos externos con cremas y aceites tópicos, especialmente los compuestos por principios activos naturales, fácilmente reconocibles y asimilables por la piel como parte de su alimento. Similar a cuando te bañas en el mar y notas una remineralización instantánea por todo el cuerpo, como si la piel sonriese.

⇨ En cuanto a las plantas que ayudan a limpiar la sangre y, por tanto, mejoran los problemas de piel, son muy recomendables las infusiones de ortiga verde y diente de león. También podemos recurrir a la lavanda, el aloe vera, la caléndula, el hinojo y el té verde.

⇨ Uno de mis rituales más importantes de la semana, y que aprendí en la India, es darme automasajes por toda la piel del cuerpo con aceite de sésamo tostado recién salida de una ducha caliente. Sus ácidos grasos omega 6 y su riqueza en vitamina E y minerales como el zinc aumentan la elasticidad y la suavidad en la piel.

⇨ Cuando se trata de alguna erupción leve, podemos aplicar en la zona aloe vera puro o unas gotas de aceite esencial de lavanda diluidas en aceite de almendras dulces.

⇨ Para pieles muy secas o atópicas, tomar aceite de onagra durante una temporada y aplicar manteca de karité o aceite de caléndula. Las algas marinas y la arcilla blanca son conocidas por su acción beneficiosa en la piel, gracias a su contenido en minerales, especialmente yodo, que contribuyen a la reparación de los tejidos.

Recetas que funcionan (y que encontrarás en el recetario final)
1 - 8 - 12 - 15 - 17 - 21 -27

Insomnio
De dónde puede venir, origen del desajuste
Insomnio significa, literalmente, «ausencia de sueño», y esa ausencia puede ser transitoria, de corta o larga duración. Suele estar asociada a trastornos del sistema nervioso ocasionados por estrés, preocupaciones, ansiedad, estreñimiento, exposición a radiaciones de aparatos tecnológicos, cenas abundantes y alimentos con efecto estimulante.

También puede haber detrás de este desajuste una carencia de vitaminas del grupo B.

Lo que está claro es que, para mejorar la «higiene del sueño», es preciso establecer unas rutinas y ayudar al cuerpo a relajarse al final del día, cumpliendo unos horarios, tanto para acostarse como para levantarse por la mañana, evitando siestas irregulares, practicando ejercicio, paseando al aire libre, cenando temprano y ligero, e intentando controlar el estrés de forma adecuada.

Síntomas:
• dificultad para relajarse por la noche;
• sueño interrumpido y poco profundo.

Sistemas de cocción o preparación idóneos

Cocciones con efecto relajante y que faciliten la digestión de los alimentos, como estofados largos, sopas y purés, al vapor, hervido y, en invierno, al horno. Por la noche se deberían evitar las recetas de crudos y fritos.

Ingredientes que conviene evitar y reforzar

→ **Evitar:** ya podían habernos dicho antes que la clásica tortilla francesa o el embutido por la noche pueden alterar nuestra calidad de sueño debido a que la energía de los huevos, las carnes y los salados es de naturaleza contractiva y tensa.

Por lógica, al final del día lo que deseamos es relajarnos, no tensarnos más de lo que ya lo hemos hecho a lo largo del día. Si por pereza o por falta de atención a nuestras necesidades auténticas nos lanzamos a picotear o a darnos un atracón de dulces refinados al final de la jornada, empeoraremos el estado de ansiedad que nos ha provocado un día agotador y, por consiguiente, dificultaremos que nuestro cuerpo se relaje y logremos tener un sueño reparador.

Pero, sobre todo, debemos evitar alimentos que alteran el corazón, como la sal, el café, el alcohol, las carnes rojas, las grasas, los picantes, la cebolla y el ajo crudo.

→ **Reforzar:** A partir de las cinco de la tarde, el metabolismo se ralentiza de forma notable, por lo que una forma de ayudar a relajar el sistema nervioso al final del día es haciendo cenas tempranas a base de verduras ligeramente cocinadas, sopas o cremas de verduras dulces, o también frutas de temporada frescas o en compotas.

Un zumo natural de manzana o de uva roja (preferiblemente a temperatura ambiente) suele ser eficaz para calmar las emociones.

También dan buenos resultados las sopas de verduras, especialmente la sopa de lechuga o los purés de zanahoria y calabaza asada con semillas de amapola. La lechuga contiene una sustancia llamada lactucarium (el líquido blanco que sale cuando la cortas), con efectos calmantes que ayudan a conciliar el sueño, especialmente si se toma caliente.

Las cenas son muy personales, como hemos visto ya en capítulos anteriores, pero la presencia de todos los nutrientes esenciales en sus formas más sencillas y suaves nos aporta equilibrio y satisfacción al terminar el día. La idea es saciarte sin llenarte mucho, y aquí más que nunca con presencia del dulzor natural, que tanto nos relaja.

⇨ Otros remedios naturales para el insomnio pasan por tomar antes de acostarse una compota de manzana natural, caliente y sin azúcar, o un vaso pequeño de zumo de manzana natural templado. Suelen actuar como un sedante natural tras una cena ligera.

⇨ Las infusiones que también ayudan a conciliar el sueño son melisa, marialuisa, tila, manzanilla y valeriana. Y, desde luego, darse una ducha o baño caliente con esencia de lavanda antes de irse a la cama.

Recetas que funcionan (y que encontrarás en el recetario final)

3 - 7 - 12- 14 - 23 - 47

Sobrepeso

¿Y qué pasa con el sobrepeso y las dietas de adelgazamiento?
Tener unos kilos de más no puede ser considerado un desajuste de salud, sino que más bien podría ser en algunos casos un vehículo para el desarrollo de ciertas dolencias relacionadas con una alimentación inadecuada, un metabolismo estancado, y un exceso de toxinas en órganos y en sangre.

Tratar un problema de obesidad es un tema aparte, y requiere de un estudio personalizado por parte de un profesional de la salud. Otro tema diferente es querer depurar el organismo con el fin de perder unos kilos de forma controlada y coherente con las necesidades de la persona, de manera que evitemos carencias nutricionales y energéticas a medio-largo plazo.

Al ser una de las consultas que más he recibido en estos últimos años como profesional en el mundo de la salud, no podía cerrar este capítulo sin mencionar la cuestión del sobrepeso.

Sin duda, la elección de los alimentos es fundamental a la hora de enfrentarse al propósito de bajar peso, pero ahora más que nunca es de vital importancia plantearse el reto como una forma de aprender a vivir mejor y no como una dieta limitante que, con seguridad, nos llevará al cansancio, la insatisfacción y el abandono.

El problema no es comer demasiado, sino no disponer de energía suficiente para metabolizar lo que comemos. Por eso debemos optar por una forma de comer (y de vivir) que aumente la vitalidad del organismo y, por tanto, el «fuego digestivo» y el metabolismo.

No se trata de reducir el volumen de comida en general, sino de algunos alimentos en particular, y de elegir aquellos que depuran y ayudan a mejorar el metabolismo. Cada persona es un caso concreto, y como tal debe ser estudiada, acompañada, motivada y guiada por un profesional de la salud.

El sobrepeso viene de una ingesta excesiva de comida, un desarreglo metabólico y energético que ha provocado acumulaciones de grasa en los tejidos.

Está relacionado con las entradas y las eliminaciones: hay personas que comen mucho y no engordan porque cuentan con un metabolismo activo y eficaz; y al revés: existen personas que, por debilidad de fuego interno, no eliminan bien los residuos de los alimentos que ingieren.

Piensa que las acumulaciones vienen de hábitos sostenidos durante periodos de tiempo normalmente largos, y no podemos pretender pérdidas milagrosas en pocos días. Lleva tiempo cambiar la programación del *software* que nos gobierna y que hace que los nuevos hábitos de alimentación se instalen en nosotros con el piloto automático, por eso anima mucho ponerse metas sencillas y a corto plazo para ver resultados de forma progresiva.

Por ejemplo, primero cambias los alimentos dañinos por los que ayudan, con lo que regulas el tránsito intestinal, te desinflas, mejoras tu energía e incluso el aspecto de tu piel; durante una semana te centras en las cenas, la siguiente añades cambios en los desayunos, después vas incorporando nuevos ritmos de descanso y actividad física en tu rutina y, sobre todo, te recuerdas cada día de forma honesta tus verdaderas motivaciones para estar en tu peso ideal.

> Recuerda que el peso justo no solo tiene que ver con el consumo de alimentos y calorías. Va mucho más allá. Tiene que ver con una nutrición eficiente, vital, que active el metabolismo, promueva una buena asimilación de nutrientes, aumente las sensaciones de energía y nos equilibre en todos los sentidos.

Mi recomendación para vivir a gusto con el propio peso siempre será la de empezar por **conocerse a uno mismo**, entender la causa de las retenciones, las tensiones o los desajustes. A partir de ahí, es vital familiarizarse con los alimentos básicos y naturales que a uno le hacen bien, aplicando **sentido común energético**, tal y como hemos visto en capítulos anteriores.

Además, las mejores estaciones del año para depurar son la primavera y el verano, cuando el cuerpo y la naturaleza al completo empiezan a abrirse en el plano energético. En otoño o en invierno no tiene tanto sentido hacerlo, ya que es cuando el cuerpo tiende a cerrarse energéticamente para prepararse para los días fríos.

Sistemas de cocción o preparación idóneos

Preferiblemente cocciones ligeras que activen el metabolismo con calor interior: vapor, hervido, caldos, plancha, etcétera. Es preferible evitar horneados y frituras. Los crudos deben dejarse para las épocas de calor, o para aliviar sofocos internos, y no se debe abusar de ellos porque tomados en exceso ralentizan el metabolismo.

Ingredientes que conviene evitar y reforzar

De una forma generalizada, sin considerar las características ni la condición energética de la persona que desea depurar, el primer paso debería ser el de reducir o eliminar algunos alimentos, como las harinas refinadas de panes y bollería, el azúcar, los refrescos, la sal cruda, las salsas, los *snacks* de bolsa y lata, los fritos, las grasas saturadas, los aditivos químicos, los alimentos procesados y el alcohol. Evitar también el consumo excesivo de alimentos crudos y bebidas frías, que promueven el estancamiento metabólico, ya que se trata justo de lo contrario, de activarlo.

Por otro lado, los alimentos de mayor efecto depurativo son las setas, los nabos, los rabanitos, las alcachofas, el hinojo, las verduras de hojas verdes frondosas e intensas (col verde, brécol, puerros, apio, berros, endibias, espárragos, etcétera), el jengibre, el ajo, las especias, variedad de hierbas aromáticas frescas, los cereales integrales (cebada, quinoa, arroz basmati integral), las algas, las frutas y los licuados e infusiones, como el té verde o el diente de león.

Otras recomendaciones son masticar bien, comer a horas fijas, activar el cuerpo cada día con movimiento, descansar y depurarse en el plano emocional expresando sin miedo los sentimientos. Estas actitudes suelen ser el maridaje perfecto para los alimentos con efecto depurativo.

Recetas que funcionan (y que encontrarás en el recetario final)

11 - 15 - 17 - 21- 22 -27- 38 - 40 - 48

Capítulo 8:
Recetas con fines energéticos y disfrutones

Cuando algo gusta, se repite

Y llegué al punto de entender lo que necesito en la vida para vivirla a tope, con todos los sentidos, a pleno rendimiento, con salud, fuerza, ánimo, buenos alimentos y empuje. Porque las comidas son, en definitiva, recuerdos.

De eso va esta parte del libro: no solo de recetas, sino de los recuerdos que han dejado en mi vida las recetas que me funcionan y que, por esa misma razón, repito con frecuencia.

Se trata de los alimentos que más me gustan porque van conmigo, los digiero bien, me fortalecen, enloquecen mis sentidos y me hacen vivir mejor.

Son, en definitiva, recetas sencillas de hacer incluso para los que no tienen mucha práctica… ni tiempo. En ellas priman los ingredientes naturales, en muchos casos de origen ecológico, para evitar la acumulación de residuos tóxicos en el organismo, como pesticidas, aditivos, metales, antibióticos u hormonas. Son también recetas que se disfrutan en la cocina y en la mesa, en solitario y en compañía. Y, sobre todo, que dan pie a seguir creando versiones adaptadas a tus gustos y apetencias del momento.

Así que... **bienvenidos a las recetas de mi vida.**

Muchos de estos platos están inspirados en los recetarios de mi madre y de mi abuela materna, así como en recetas aprendidas en los diferentes cursos de cocina natural que he ido recibiendo a lo largo de mi formación y que después he versionado a mi manera.

Además, tengo la suerte de contar con grandes amigos y profesionales del mundo gastronómico que creen, como yo, en el uso terapéutico a la vez que placentero de un plato bien cocinado, combinado y presentado.

Y he guardado una sorpresa para el final: entre mis recetas encontrarás algunas propuestas muy creativas de grandes chefs y amigos con los que he tenido el honor de colaborar y compartir ideas sabrosas y equilibradas: Tina Bestard, Javier Aranda, Carlos Núñez, Juan Carlos Menéndez y David Ariza.

Recetario

- Desayunos y meriendas
- Aperitivos
- Sopas y cremas
- Legumbres como protagonistas
- Platos fáciles y calientes con verduras ecológicas
- Ensaladas frescas y nutriboles
- Cereales en grano y harinas integrales
- Platos con huevo
- Platos con pescado
- Platos con carne
- Dulces sin remordimientos

Desayunos y meriendas

1. Barritas de avena

Ingredientes para 18 barritas aproximadamente:

- 1 y ½ tazas de copos de avena finos sin gluten
- ⅔ de taza de harina de avena sin gluten (o de trigo sarraceno)
- ¼ de taza de salvado de avena sin gluten
- ¾ de taza de mermelada de albaricoque sin azúcar
- 2 cucharadas soperas de miel de romero o de sirope de agave
- 2 cucharadas soperas de aceite de oliva
- 2 huevos
- 1 pizca de sal
- 1 pizca de bicarbonato

Preparación:

Tamizar la harina en un bol junto con la sal y el bicarbonato.

Mezclar la mermelada con la miel, el aceite y las claras de huevo. Unirlo todo y hacer formas de galletitas ovaladas. Hornear durante 20 minutos.

2. Bolitas calientes de arroz y cardamomo

Ingredientes para 30 bolitas aproximadamente:

Ingredientes para las bolitas:

- 1 taza de harina de arroz integral
- ½ taza de leche de coco (de lata)
- ⅓ de coco rallado
- agua caliente a demanda

Ingredientes para el sirope:

- 3 tazas de leche de coco (de lata)
- 6 cucharadas soperas de melaza de arroz
- 4 cucharadas de postre de cardamomo molido
- 1 rama de canela
- canela en polvo y semillas de sésamo tostado para decorar y servir
- 2 tazas de agua

Preparación:

En un bol, mezclar bien la harina con la leche de coco y el coco rallado, e ir añadiendo un poco de agua caliente (previamente hervida, se deja templar un poco) hasta lograr una consistencia fácil de manipular sin que se pegue demasiado. Con las manos húmedas, formar bolitas uniformes y colocarlas en una fuente plana.

Por otro lado, en una sartén grande, plana y con algo de profundidad, calentar a fuego medio la leche de coco, las dos tazas de agua y la rama de canela. Añadir poco a poco la melaza y el cardamomo al gusto (las semillas de cardamomo se abren y se tritura su contenido en un mortero). Una vez integrados los ingredientes en la crema, incorporar las bolitas a la sartén sin apelmazarlas y cocer con tapa a fuego bajo durante 8 minutos. Retirar del fuego y servir con canela en polvo. También se pueden cubrir de cacao puro en polvo, coco rallado, almendra molida y frutos secos troceados, o de semillas de sésamo tostado.

Nota. Las melazas de cereales usadas como endulzantes naturales se absorben más lentamente en sangre que el azúcar común. No obstante, deben ser tomadas con moderación igualmente. Estas bolitas proporcionan energía sostenible toda la mañana, son muy saciantes, digestivas y suelen gustar mucho a todos los miembros de la familia.

3. Porridge de arroz con piñones

Ingredientes para 2 boles:

- ½ taza de arroz integral lavado bajo el grifo
- 1 taza (aunque abajo pongo «al gusto» porque depende de si quieres la crema final más densa o suelta) de leche de arroz (igualmente, al gusto)
- 1 rama de canela
- 1 cucharada de postre de canela en polvo
- 1 cucharada de postre de semillas de sésamo tostado
- 1 pizca de sal
- 1 pizca de melaza de arroz o sirope de agave (opcional)
- piñones tostados para decorar
- 1 taza de agua

Preparación:

Primero se cuece un cereal como base. En una olla pequeña, poner el arroz con el agua y la sal y llevar a ebullición. Al instante, bajar el fuego al mínimo, desespumar y tapar. Dejar cocer durante 15-20 minutos aproximadamente, sin apenas tocar, hasta que se haya consumido toda el agua. Abrir la tapa y airear.

En la misma olla o en un cazo más pequeño, poner la cantidad de arroz cocido deseada con la ramita de canela y una pizca de melaza (opcional). Añadir leche de arroz al gusto y cocer 8 minutos más a fuego bajo. Servir con las semillas y los piñones tostados y espolvorear la canela en polvo encima.

Nota. El porridge tradicional se hace con copos de avena finos, aunque se puede elaborar con cereales enteros ya cocidos, que para algunas personas son más fáciles de digerir, como el arroz integral, el mijo, la quinoa y el trigo sarraceno. Se trata de un recurso extraordinario cuando se necesita energía sostenible durante muchas horas y calor interior. También se puede sustituir la leche de arroz por leche de coco, y añadir ralladura de cítricos, haciendo con ellos una versión vegana del clásico arroz con leche.

4. Flan de frutos rojos

Ingredientes para un flan para 6 personas:

- 3 tazas de leche de arroz (o zumo natural de manzana)
- 1 taza de frambuesas o fresas de temporada
- ½ taza de coco rallado
- 2-3 cucharadas soperas de melaza de arroz o sirope de agave
- 2 cucharadas soperas del alga agar-agar en polvo
- 1 vaina de vainilla abierta transversalmente
- 1 pizca de sal

→ Como utensilio especial, necesitaremos una flanera de buen tamaño.

Preparación:

Calentar en una olla mediana sin tapa la leche de arroz (o, en su caso, zumo de manzana) a fuego bajo, unos 10 minutos; añadir el endulzante, una pizca de sal y la vaina de vainilla. A continuación, sacar la vaina, raspar su interior e incorporarlo junto con el agar-agar y el coco en el líquido, removiendo durante 10-12 minutos hasta que se note cierto espesor. Por último, echar los frutos rojos y batirlo todo bien. Se vuelca la mezcla en un molde y se deja enfriar durante un mínimo de 2 horas en la nevera. Desmoldar con cuidado y decorar.

Nota. Este flan es una merienda fresquita para el verano o para situaciones de sofocos y mucho calor. Es también una forma atractiva para toda la familia de tomar fruta, con un efecto de enfriamiento algo más moderado por estar cocinada. El agar-agar aporta minerales y una fibra saciante a los pocos minutos de tomarla, por lo que modera la ansiedad por los dulces refinados.

5. Kéfir con calabaza asada y crujiente de pipas

Ingredientes para 2 personas:

- 250 ml de kéfir de cabra
- ⅓ de taza de granola de avena sin gluten
- 80 g de calabaza
- 3-4 orejones secos
- 5-10 g de miel de romero
- ½ cucharada de postre de nuez moscada
- ½ cucharada de postre de canela en polvo
- 1 pizca de sal marina
- pipas de calabaza
- algunas gotas de aceite de oliva virgen

Preparación:

Primero se trocea la calabaza sin piel y se coloca sobre papel vegetal, junto con 3-4 orejones secos, en la bandeja del horno, con gotas de aceite de oliva, nuez moscada, canela en polvo y una pizca de sal. Se hornea unos 10 minutos y, cuando esté blanda, se saca.

Rellenar vasitos con el kéfir y cubrir con la granola, la calabaza especiada y caliente, la miel y las pipas.

Nota. El kéfir de cabra u oveja es uno de los mejores probióticos naturales que podemos encontrar, pues mejora la inmunidad, la salud ósea y la absorción de nutrientes. Contiene muy poca lactosa en comparación con cualquier otro lácteo, y en esta receta compensamos su efecto frío con la calabaza dulce y caliente para hacerlo aún más digestivo.

6. Ponche para resfriados

Ingredientes por persona:

- 1 trozo mediano de raíz de jengibre pelada (3 cm)
- ½ manzana ecológica
- la piel de ½ limón
- zumo de ½ limón
- 1 cucharada sopera de jugo concentrado de manzana
- 1 cucharada de postre de raíz de kuzu en polvo
- 250 ml de agua filtrada

Preparación:

En un cazo pequeño con tapa, infusionar el jengibre rallado con la cáscara de limón en el agua durante unos 10 minutos. Añadir al final trocitos de manzana junto con el jugo concentrado de manzana. Dejar reposar y, mientras, disolver una cucharada de postre de kuzu en un vaso pequeño con un dedo de agua del tiempo. Añadir el kuzu ya disuelto a la infusión, remover y tomar caliente a sorbitos.

Nota. El jengibre es bastante popular por sus propiedades antinflamatorias, expectorantes y caloríficas, pero el kuzu se conoce menos. Se trata de un almidón sin gluten que procede de una de las raíces más profundas del mundo, y que se utiliza en Oriente desde hace más de dos mil años por sus cualidades medicinales, alcalinizantes, digestivas y nutritivas. Se vende en herbolarios y es un básico para tu nuevo «botiquín natural».

7. Plum cake de plátano y algarroba (sin gluten)

Ingredientes para 4-6 personas:

- 4 plátanos maduros
- 3 huevos bio
- 200 g de melaza de arroz (o sirope de agave o panela integral)
- 175 ml de leche de arroz
- 120 g de harina de trigo sarraceno
- 120 g de harina de algarroba
- 50 g de mantequilla clarificada (ghee) derretida
- 30 g de aceite de oliva virgen extra
- 10 g de gasificante o bicarbonato de sodio
- 1 cucharada de postre de vainilla en polvo

Preparación:

Primero mezclar bien los huevos con los plátanos triturados y el endulzante. Después, añadir el resto de los ingredientes por orden y remover con una pala de madera unos minutos hasta lograr una mezcla uniforme sin grumos. Verter sobre un molde de plum cake o minimoldes vegetales para horno y hornear a 200 °C durante 20-25 minutos. Comprobar que la masa está hecha por dentro metiendo un cuchillo largo y, si este sale limpio, es que está listo. Dejar enfriar.

Aperitivos

8. Hummus de garbanzos con comino

Ingredientes:

- 1 bote de garbanzos ecológicos cocidos
- 2 cucharadas soperas de tahini de sésamo tostado
- 2 cucharadas soperas de aceite de oliva virgen
- 1 cucharada de postre de crema de umeboshi*
- 1 diente de ajo
- zumo de 1 limón

Para decorar:

- Semillas de sésamo tostado
- Comino en polvo

Preparación:

Poner los garbanzos en remojo en un bol con agua templada con el fin de masajearlos con los dedos limpios y retirar la piel que los envuelve y que suele ser causante de los gases incómodos después de comer. Se enjuagan después los garbanzos limpios y se cuelan.

En el vaso de la batidora triturar bien los garbanzos con el resto de los ingredientes. Servir en un recipiente bonito y sobre el paté espolvorear comino en polvo, semillas de sésamo tostado y unas gotas de aceite de oliva virgen. Por último, servir con vainas o trocitos de verduras frescas, tipo zanahoria, pepino, calabacín y pimientos rojos y amarillos.

Nota. La mejor versión de hummus la he logrado siempre con los garbanzos que sobran del cocido de mi madre, esos sí que tienen sabor, y el paté sale para desmayarse. *La ciruela de umeboshi es una alternativa a la sal común, con propiedades alcalinizantes de la sangre. Suele encontrarse fácilmente en herbolarios y mercados ecológicos, y usada con moderación es uno de los condimentos más interesantes de la cocina natural.

9. Pinchos de paté de sardinas envueltos en hojas de arroz

Ingredientes para 4-6 personas:
- 1 paquete de láminas finas de arroz
- 1 puñado de aceitunas verdes y negras sin hueso

Ingredientes para el paté:
- 3 zanahorias ralladas
- 2 latas de sardinas ecológicas escurridas
- 2 cucharadas soperas de mostaza natural
- 2 cucharadas soperas de aceite de oliva virgen
- 1 cucharada sopera de salsa de soja tamari
- zumo de 1 limón
- cebollino cortado fino

→ También necesitaremos palitos de madera para aperitivos.

Preparación:
Primero preparar el paté de sardinas rallando las zanahorias y mezclando bien el resto de los ingredientes (menos el cebollino,

que se añade al final) con una batidora de mano. Después, sumergir las hojas de arroz en agua templada 1 minuto y secar suavemente con papel de cocina. Rellenar las hojas con el paté, cerrar bien y cortar en trozos medianos. Hacer los pinchos con las aceitunas en los extremos y el rollito relleno en el centro.

Nota. El consumo de pescado azul debería estar presente en nuestros menús al menos dos días por semana, al ser una fuente esencial de ácidos grasos polinsaturados omega 3. Las sardinas, además, contienen proteínas de alto valor biológico, fósforo, calcio, yodo y zinc. Incluso los más reticentes al pescado no pueden resistirse al sabor de este paté.

10. Chips de boniato

Ingredientes para 4 personas:

- 2 boniatos ecológicos medianos
- 1 pizca de sal marina
- unas gotas de aceite de oliva virgen

→ Papel vegetal para la bandeja de horno

Preparación:

Pelar los boniatos y cortarlos en rodajas muy finas. Colocarlas sobre una bandeja de horno, rociar con gotas de aceite de oliva y sal marina. Hornear durante 10 minutos a 200 ºC, vigilando que queden crujientes y no se quemen demasiado.

Nota. Estos chips naturales aportan dulzor natural sin apenas grasas, y son ideales para aperitivos o acompañamientos de menús. El boniato es una fuente interesante de hidratos de carbono, su contenido calórico es levemente superior al de la patata, pero también tiene más fibra, más calcio, más potasio y vitamina C.

11. Paté de tofu con encurtidos

Ingredientes para 4 personas:

- 1 bloque de tofu natural
- 1 bloque de tofu ahumado
- ½ taza de cebollino fresco picado
- ⅓ de taza de aceitunas verdes y negras sin hueso
- 2 cucharadas soperas de miso blanco
- ⅓ taza de alcaparras
- 2 cucharadas soperas de aceite de oliva virgen
- 1 cucharada de jugo concentrado de manzana
- crackers de semillas o pan de arroz para acompañar

Preparación:

Hervir los bloques de tofu durante 20 minutos. Sacarlos y utilizar parte del agua para disolver el miso en el vaso de la batidora y, a continuación, mezclar con el resto de los ingredientes. Dejar las aceitunas, las alcaparras y el cebollino cortado para añadirlo al final. Servir con crackers de semillas o pan de arroz.

Sopas y cremas

12. Sopa de lechuga

Ingredientes para 4 personas:

- 1 lechuga iceberg
- 3 patatas
- 2 cebollas
- 1 apionabo
- 2 cucharadas soperas de aceite de oliva virgen
- 2 cucharadas de postre de sal marina
- 1 diente de ajo
- 1 pizca de pimienta negra molida
- perejil y germinados de alfalfa para decorar

Preparación:

En una olla mediana, rehogar las cebollas finas con el aceite y la sal, añadir después el ajo, las patatas y el apio pelados y en rodajas. Rehogar 3 minutos más y cubrir de agua, con una pizca de sal y pimienta negra. Tapar y cocer a fuego medio unos 20 minutos. Después, triturar y corregir con un poco de agua si fuera necesario hasta obtener una crema fina. Cortar la lechuga en tiras y añadir. Cocinar todo junto 3 minutos más y servir con perejil y germinados de alfalfa.

Nota. La lechuga contiene una sustancia llamada lactucarium (el líquido blanco que sale cuando la cortas), que posee efectos calmantes que ayudan a conciliar el sueño, especialmente si se toma caliente.

13. Sopa miso con shiitake

Ingredientes para 4 personas:

- 2 zanahorias
- 1 puerro
- 1 trocito de col blanca
- 2 cucharadas soperas de aceite de oliva virgen
- 1 cucharada sopera de alga wakame remojada previamente
- 1 cucharada sopera de pasta de miso oscuro
- 1 puñado de setas shiitake
- 1 hoja de laurel
- cebollino fresco y picado para decorar
- 1 pizca de sal marina

Preparación:

Saltear el puerro en el aceite con una pizca de sal durante 10 minutos, sin tapa.

Añadir el resto de las verduras cortadas en tiras finas, el laurel, el alga y las setas. Rehogar un minuto y cubrir con agua. Cocer a fuego suave unos 12 minutos, con tapa. Añadir más agua si es necesario y, finalmente, el miso previamente disuelto en el propio caldo. Dejar cocer unos minutos más. Servir con el cebollino fresco.

Nota. El miso aporta energía en casos de debilidad y actúa como un probiótico natural para la flora intestinal. La seta shiitake, rica en potasio, limpia toxinas de los intestinos y contribuye a regular el colesterol en sangre.

14. Crema de calabaza y jengibre

Ingredientes para 4 personas:

- 2 cebollas en tiras
- 1 calabaza redonda entera, toda su pulpa sin piel
- 1 nabo
- 1 patata pequeña
- 1 trocito de raíz de jengibre
- 4 cucharadas soperas de aceite de oliva virgen extra
- 1 pizca de sal
- 1 pizca de pimienta
- pipas de calabaza para decorar
- ½ litro de agua

Preparación:

En una olla mediana, pochar bien las cebollas con el aceite y la sal durante 14 minutos a fuego bajo, añadir el resto de las verduras después y rehogar otros 5 minutos más. Incorporar el agua, una pizca de pimienta y el jengibre natural rallado. Tapar la olla y cocer durante 20 minutos más, con llama baja o a temperatura mínima. Triturar y servir con pipas de calabaza.

Nota. Las verduras de raíz, dulces, naranjas y blancas, cocinadas a fuego lento, contribuyen a relajar el sistema nervioso, depuran el intestino y activan el metabolismo desde el calentamiento interior. Aportan satisfacción a la hora de comer, ¡y te aseguro que quitan los antojos de dulce refinado!

15. Crema de hojas verdes

Ingredientes para 4 personas:

- 2 puerros limpios y cortados en juliana
- 2 calabacines
- 1 tira de apio sin hebras
- 1 nabo pelado
- 1 puñado de hojas de espinacas frescas ecológicas
- 4 cucharadas soperas de aceite de oliva virgen
- 1 cucharada sopera de alga wakame en remojo
- 1 cucharada de postre de albahaca seca
- 1 cucharada de postre de germinados de alfalfa, brócoli o lombarda para decorar
- 2 cucharadas pequeñas de sal marina

Preparación:

Saltear los puerros con un poco aceite y sal en una olla a fuego bajo. Cuando estén blandos, añadir el resto de las verduras cortadas en rodajas, a excepción de las espinacas, que se reservan para el final. Rehogar un minuto y añadir entonces las espinacas, el alga, la albahaca y la pizca de sal. Cubrir con agua y cocer con tapa y a fuego medio unos 15-20 minutos. Cuando esté listo, retirar y hacer un puré fino, y servir con germinados de lombarda, brócoli o alfalfa.

Nota. Es una crema deliciosa para depurar el hígado, lo cual contribuye a una limpieza de la sangre y de la piel. Además, esta crema es una gran aliada de los menús para tratar el sobrepeso.

16. Crema fría de remolacha y albahaca

Ingredientes para 4 personas:

- 6 zanahorias grandes peladas y en rodajas
- 2 bulbos de remolacha cocida
- 2 cebollas en rodajas finas
- 4 cucharadas soperas de aceite de oliva virgen
- 2 cucharadas de vinagre de manzana
- 1 hoja de laurel
- 1 cucharada de postre de albahaca seca
- 1 pizca de sal marina
- hojas de albahaca frescas para decorar
- semillas de sésamo negro triturado para decorar
- ½ litro de agua

Preparación:

Saltear las cebollas con el aceite y la sal en una olla, a fuego bajo, hasta que la cebolla esté transparente; a continuación, añadir solo las zanahorias y rehogar un minuto más. Meter después la hoja de laurel, la albahaca seca y cubrir con agua. Cocer con tapa unos 20 minutos a fuego medio-bajo. Incorporar entonces la remolacha cocida en trozos y cocer 5 minutos más. Sacar el laurel y añadir el vinagre. Cuando esté listo, retirar, triturarlo todo bien y dejar enfriar en la nevera como mínimo 1 hora. Servir con hojas frescas de albahaca y semillas de sésamo negro triturado previamente en un mortero.

Nota. Importante: al cocer la remolacha, no hay que quitarle las hojas ni la piel, o perderá el ácido fólico en la cocción. ¡Ah, y las hojas no se tiran! ¡Se comen! Tienen más hierro que las espinacas, y también tienen fósforo, zinc, fibra, vitamina B6, magnesio, potasio, cobre y manganeso.

17. Crema fría de pepino y aguacate

Ingredientes para 4 personas:

- 2 aguacates maduros
- 2 pepinos grandes pelados
- zumo de 1 limón
- 1 cucharada de postre de miso blanco disuelto en agua caliente
- 1 pizca de pimienta
- ⅓ de taza de cebollino picado para decorar
- 1 cucharada sopera de germinados de alfalfa para decorar
- 1 vaso de agua filtrada

Preparación:

Triturarlo todo junto menos el cebollino, que se añade al final. Enfriar en la nevera 1 hora y servir con germinados de alfalfa.

Nota. El aguacate es un fruto rico en ácido oleico (un tipo de ácido graso monoinsaturado, como el aceite de oliva), vitamina E y fibra, por lo que es saciante, ayuda a controlar el apetito, evita el estreñimiento y controla los niveles de azúcar en sangre. Es un alimento excelente para deportistas y personas con estrés.

Legumbres como protagonistas

18. Estofado rápido de lentejas con kombu y mijo
Versión rápida para gente sin tiempo

Ingredientes para 2-3 personas:

- 1 bote de lentejas andinas, cocidas y ecológicas
- 1 taza de mijo cocido previamente
- 2 zanahorias
- ½ cebolla
- ½ pimiento rojo
- ⅓ de pimiento verde
- 2 tiras de alga kombu hidratada y desmenuzada

- 1 chorrito de vino tinto (opcional)
- 2 cucharadas soperas de aceite de oliva virgen
- 1 cucharada de miso
- 1 hoja de laurel
- 1 cucharada de postre de semillas de sésamo tostado
- 1 vaso de agua filtrada
- 1 pizca de sal marina

Preparación:

Cortar las verduras en cuadraditos pequeños y, en una olla mediana, saltear primero la cebolla con un poco de aceite y sal a fuego bajo, e incorporar después las zanahorias y los pimientos. Una vez dorados, añadir las lentejas enjuagadas, el alga, el laurel y un poco de vino tinto, remover un minuto y cubrir con agua. Cocer a fuego bajo 10 minutos con tapa. Con un poco del caldo, disolver en un vaso aparte el miso y echarlo al final al estofado. Servir con semillas de sésamo tostado y una montaña de mijo cocido en el centro.

Nota. Procura tomar siempre las legumbres con cereales completos y semillas, para que te proporcionen todos los aminoácidos esenciales que el organismo necesita. El alga kombu facilita la cocción y la digestión de las legumbres, por lo que no debe faltar. Si tienes tiempo, puedes usar lentejas secas puestas en remojo el día anterior, en vez de lentejas de bote, y cocinarlas a la vez que las verduras, el alga, el laurel y el agua, un mínimo de 30-40 minutos a fuego lento.

19. Legumbres guisadas con espinacas y trigo sarraceno
Versión rápida para gente sin tiempo

Ingredientes para 4 personas:

- 1 bote de garbanzos o alubias ya cocidos y ecológicos (o, en su versión tradicional, la legumbre seca puesta en remojo 24 horas antes y cocida durante 1 hora con un trocito de alga kombu)
- 1 cebolla
- ¼ de calabaza pelada

- 1 manojo de espinacas frescas
- 1 tira de alga kombu
- 1 taza de trigo sarraceno en seco
- 2 cucharadas soperas de aceite de oliva virgen
- 1 pizca de sal marina
- 1 cucharada de postre de comino en polvo
- perejil fresco para decorar

Preparación:

Lavar el trigo sarraceno bajo el grifo, con un colador, y reservar.

En una olla mediana, rehogar a fuego bajo la cebolla con un poco de aceite y sal durante 10 minutos, añadir la calabaza, el comino, el alga y el trigo sarraceno, y rehogar 2 minutos más.

Cubrir con agua y tapar. Guisar durante 12 minutos (el sarraceno debe estar blando) y después incorporar los garbanzos cocidos y las espinacas. Rectificar de agua, de sal y de comino si fuera necesario, y dejar que se cocine todo junto 3 minutos más. Servir con perejil fresco.

20. Bolitas de tempeh con alga wakame

Ingredientes:

- 1 bloque de tempeh, de soja o de garbanzos*
- 2 zanahorias ralladas
- 1 tira de alga wakame
- 2 cucharadas soperas de salsa de soja tamari
- 2 cucharadas soperas de aceite de oliva virgen
- 1 manojo de perejil picado fino
- 1 diente de ajo picado fino
- ½ cucharada de comino en polvo
- harina de garbanzos o de maíz ecológica para rebozar

Preparación:

Cocer el tempeh con agua que cubra la mitad de su volumen, junto con la salsa de soja y el alga, durante 15 minutos. Desmenuzarlo con un tenedor. En un recipiente grande, mezclar todos los ingredientes hasta conseguir una masa compacta y moldeable. Dejar enfriar unos minutos, hacer las bolitas y rebozarlas con la harina.

Mezclar la salsa de soja con el aceite, y pincelar con ello las bolitas antes de meterlas en el horno. Hornear a 200 ºC durante 15 minutos aproximadamente.

Acompañar con salsa de tomate casera o crema de remolacha.

Nota. A mí también me sonó rarísima la palabra «tempeh» la primera vez que la oí; de hecho, creía que se trataba de un tipo de abono para la tierra, qué horror. Cuando me lo explicaron, pasé a pensar que era solo comida de veganos radicales, y cuando finalmente aprendí a cocinarlo y disfrutarlo como una alternativa de proteína vegetal de forma ocasional, descubrí un mundo. Sobre todo para las típicas noches que no sabes qué proteína ligera tomar y no te apetece ni carne ni pescado. O para esas rachas en las que el cuerpo te pide comer más limpio. Al tratarse de una legumbre, debe estar bien cocinada y ser preferiblemente de origen ecológico. Hoy en día es común encontrarlo en herbolarios y áreas de comida ecológica de muchos supermercados.

21. Garbanzos cremosos al curry con alcachofas
Versión rápida para gente sin tiempo

Ingredientes para 4 personas:

- 1 bote de garbanzos cocidos y ecológicos (o en su versión tradicional, garbanzos secos puestos en remojo 24 horas antes y cocidos durante 1 hora con un trocito de alga kombu)
- 2 zanahorias
- 6-8 corazones de alcachofas congeladas
- 1 cebolla
- 1 tomate pera

- 2 cucharadas soperas de aceite de oliva virgen
- 1 cucharada de postre de curry en polvo
- 1 raíz pequeña de cúrcuma rallada
- 1 pizca de pimienta negra
- 1 pizca de sal marina
- ½ vaso de agua
- 2 cucharadas pequeñas de sal marina

→ Acompañar con arroz integral cocido.

Preparación:

Cortar tres cuartos de la cebolla en juliana y saltear en una sartén con aceite de oliva virgen y sal durante 10 minutos. Añadir las zanahorias y el tomate pelados y en rodajas finas. Saltear a fuego bajo todo junto durante 3 minutos más y añadir el agua y las especias. Tapar y cocinar durante 6 minutos. Retirar del fuego y hacer puré. Reservar en un bol. En esa misma sartén, saltear el cuarto de cebolla sobrante, cortada en cuadraditos, con un poco más de aceite y sal. Con esta cebolla rehogar las alcachofas y los garbanzos juntos, hasta que las alcachofas estén tiernas. Cubrir con el puré y servir con el arroz integral.

Platos fáciles y calientes con verduras ecológicas

22. Rollitos gallegos de repollo, cigalas y verduritas con salsa de azafrán, de Carlos Núñez

Que las cosas sepan a lo que se dice de ellas es una premisa en la cocina de Carlos Núñez, mi querido amigo y compañero. Como buen gallego, le apasiona cocinar con productos del entorno para crear platos tradicionales con sabores intensos a mar y a montaña. Le gusta ensalzar una materia prima por encima de las demás, con un dominio exquisito de los sistemas de cocción idóneos para cada ingrediente. Tengo la suerte de colaborar con él en los nuevos proyectos de gastronomía y salud para El Corte Inglés, y no hay jornada de trabajo a su lado en la que no salga maravillada por su nivel de disfrute en el trabajo y en la vida, algo que se puede apreciar perfectamente en cada una de sus recetas.

Los rollitos de repollo con cigalas y salsa de azafrán recuperan los sabores de su tierra, a la vez que aportan nutrientes de alto valor biológico y contribuyen a una buena salud digestiva. Constituyen una de mis recetas favoritas, sin duda, por lo sabrosos y fáciles que son.

Ingredientes para 4 personas

Ingredientes para los rollitos:

- 1 repollo
- 1 calabacín
- 3 zanahorias
- 8 cigalas (o vieiras)
- 50 g de arroz integral
- 1 trocito de jengibre
- 2 cucharadas soperas de aceite de oliva virgen
- 1 pizca de sal
- 1 ramita de eneldo fresco
- 1 diente y medio de ajo

Ingredientes para la salsa de azafrán y almendras:

- 2 puerros
- ½ litro de leche de almendras
- 1 pizca de azafrán
- 2 cucharadas pequeñas de sal marina
- 1 cucharada sopera de aceite de oliva virgen
- 1 pizca de pimienta negra molida

Preparación:

Se pica el puerro muy finito y se pocha con aceite y sal a fuego lento hasta que esté muy tierno; una vez pochado, le añadimos una pizca de azafrán, lo rehogamos unos segundos para potenciar su sabor y añadimos la leche de almendras. Cocinar la salsa hasta que espese y reduzca a la mitad. Después se tritura en la batidora hasta dejarla bien lisa y sin grumos.

Por otro lado, se deshoja el repollo y nos quedamos con las hojas más grandes, las cocemos al vapor o en agua hirviendo durante 2 minutos y las pasamos a agua fría con hielo para que no pierdan el color verde.

Picar el jengibre y el ajo muy finos. Cortar en dados pequeños el calabacín y la zanahoria, para luego rehogar el ajo y el jengibre con un poco de aceite en una sartén. Cuando empiecen a dorarse, subimos el fuego al máximo y añadimos la zanahoria y el calabacín salteándolos durante poco tiempo para que la verdura no se pase y quede entera. Dejar enfriar la elaboración y reservar.

Hacer el arroz poniendo a hervir agua con sal, una hojita de laurel y medio ajo. Una vez hierva, echar el arroz y cocer durante 45 minutos. Escurrir, dejar enfriar a temperatura ambiente y reservar.

Pelar las cigalas y picar con cuchillo las colas; una vez listas, mezclar con las verduritas y el arroz cocido y salpimentar. Después, se secan las hojas de repollo con la ayuda de papel absorbente; sobre ellas, disponemos una cucharada sopera de la mezcla en la base de la hoja. Enrollamos la hoja sobre sí misma doblando los extremos para formar rollitos.

Al momento de servir, se cocinan al vapor durante 4 minutos los rollitos rellenos, y se acompañan de la salsa de almendras caliente y unas ramitas de eneldo.

23. Rodajas de calabaza asada con crema de sésamo

Ingredientes para 2-4 personas

Ingredientes para el relleno:

- 1 calabaza cacahuete de tamaño mediano
- 1 taza de guisantes o judías francesas ya cocidos
- 2 cucharadas soperas de aceite de oliva virgen
- 1 pizca de sal marina

Ingredientes para la crema de sésamo:

- 3 cucharadas soperas de tahini
- ½ vaso de agua caliente
- 1 cucharada sopera de miso blanco
- 1 cucharada de postre de mostaza natural

Preparación:

Primero dejamos hecha la crema de sésamo, batiendo todos los ingredientes indicados.

A continuación, cortamos la calabaza con piel en rodajas de 2-3 cm de grosor y vaciamos el centro en caso de que estén las pipas. Yo suelo aprovechar para hacer alguna forma de estrella o similar con un molde de galleta. Sobre la parte lisa de la calabaza, hacemos algunos cortes profundos con un cuchillo, y sobre ellos ponemos unas gotas de aceite de oliva y sal. Horneamos a fuego medio durante 15-20 minutos y la sacamos; rellenamos los huecos del centro en el último momento con guisantes o judías tiernas y la crema de sésamo. Hornear 5 minutos más y servir.

Nota. En esta sencilla receta encontramos una fuente de relajación muy eficaz. El dulzor de la calabaza junto con el calor del horno contribuyen a relajar el sistema nervioso y a controlar la ansiedad por la comida.

24. Guiso ligero de patatas, repollo y eneldo

Ingredientes para 4 personas:

- 2 patatas
- 1 puerro
- ¼ de repollo
- 1 diente de ajo
- 2 cucharadas soperas de aceite de oliva virgen
- 2-3 cucharadas de postre de eneldo seco
- 1 pizca de sal marina
- 1 pizca de pimienta negra

Preparación:

Lavar y cortar el puerro en rodajas finas, al igual que el repollo. Pelar las patatas y cortarlas en dados medianos. Picar el ajo. En una olla mediana, saltear el puerro, junto con el ajo, el aceite y la sal, a fuego bajo durante 10 minutos. Añadir las patatas, la sal, la pimienta y el eneldo, y dejar que se doren, moviendo con cuidado de vez en cuando. Cubrir con agua hasta el borde de las patatas y cocer con tapa durante 10 minutos. Destapar y añadir el repollo con algo más de eneldo seco. Volver a tapar y rectificar de agua si hiciese falta. Guisar otros 5 minutos y servir con unas gotitas de aceite de oliva virgen en crudo.

Nota. Para enriquecer este guiso con una proteína, a veces le añado dados de salmón o bacalao horneado, o también huevo cocido que desmenuzo por encima al final.

25. Coca de xeixa con tomates cherry confitados, brócoli y rúcula, de Tina Bestard

La cocina de mi querida amiga mallorquina Tina se caracteriza por su naturalidad, temporalidad y su reivindicación por lo tradicional y auténtico. Como dice ella, «una cocina sin disfraces». Con Tina comparto la pasión por el buen comer, el trabajar duro por aquello en lo que creemos y el mimo con el que tratamos cada plato. Encontrarla en el camino ha sido y es un regalo de vida para mí.

Ingredientes para 4 personas

Ingredientes para el relleno:

- 1 árbol de brócoli
- 8-10 tomates cherry confitados
- 1 taza de rúcula fresca
- aceite de oliva virgen
- sal de coco
- pimienta negra
- hierbas aromáticas frescas al gusto (tomillo, romero…)

Ingredientes para la masa de coca:

- 500 g de harina de xeixa*
- 1 vaso de aceite de oliva virgen
- 1 vaso de agua tibia
- 1 pizca de sal

Preparación:

Para preparar la masa, mezclaremos el aceite, el agua templada, la harina y una pizca de sal. La cantidad de harina es aproximada, e iremos añadiendo en caso de que lo necesite. Formamos una bola con la masa y la dejamos reposar una media hora cubierta con un trapo. Untamos la bandeja de horno con un poco de aceite y estiramos la masa con las manos, eso le dará un aspecto más rústico que si lo hacemos con un rodillo.

Por otro lado, se lavan los tomates cherry, se maceran con el aceite, la sal, la pimienta, y el tomillo y el romero frescos. Hornear a 150 °C durante 1 hora y reservar.

Después, se esparce pimentón dulce con un chorrito de aceite sobre la masa, el brócoli y algunos cherry confitados. Horneamos a 180 °C, unos 30 minutos aproximadamente; sabremos que la coca está lista cuando los extremos de la masa se despeguen un poco de la bandeja. Dejamos reposar unos 5 minutos para que se atempere e incorporamos rúcula fresca y algunos de los cherry reservados.

Nota. El trigo de xeixa es una variedad de trigo antiguo, de espiga corta y sabor intenso, de gran valor nutricional, con muy bajo contenido en gluten y altamente digestivo. Procede de un trigo autóctono de Mallorca, y se cree que probablemente fueron los romanos, grandes cultivadores del cereal, quienes lo introdujeron en las Islas Baleares. La coca de Tina, libre de levaduras, es un recurso delicioso y nutritivo en casos de candidiasis y para cualquier fan de las verduras combinadas con texturas crujientes.

Ensaladas frescas y nutriboles

26. Ensalada templada de calabacín y queso feta

Ingredientes para 2 personas

Ingredientes para la ensalada:

- 1 puñado generoso de rúcula y de canónigos frescos
- 1 calabacín
- 5-6 tomates cherry
- ⅓ de pimiento rojo
- ½ vaso de aceitunas negras
- ½ vaso de garbanzos (u otra legumbre) bien cocidos
- 100 g de queso de cabra feta
- 1 pizca de sal marina

Ingredientes para el aliño:

- 1 cucharada de sal marina (o crema de umeboshi) disuelta en ¼ de vaso de agua
- ½ vaso de aceite de oliva virgen
- 2 cucharadas soperas de vinagre de manzana
- 1 cucharada de postre de mostaza natural
- 1 cucharada de postre de orégano seco

Preparación:

Cortar el calabacín en rodajas finas, los tomates cherry por la mitad y el pimiento en tiras, y pasarlos juntos por una plancha o sartén con algunas gotas de aceite y sal, sin que pierdan su toque crujiente. Sacar y reservar.

Montar la ensalada poniendo en la base las hojas verdes primero y, a continuación, las verduras y el resto de los ingredientes.

Rematar con el aliño, que se hace mezclando bien en una batidora los ingredientes indicados.

Nota. El hecho de combinar ingredientes crudos con otros cocinados en una misma ensalada favorece la digestión y evita tanto el enfriamiento interior como el estancamiento del metabolismo, que podría producirse por un consumo excesivo de crudos.

27. Ensalada de quinoa roja, hinojo, melva y naranja

Ingredientes para 2 personas

Ingredientes para la ensalada:

- 1 taza de quinoa roja
- 4-5 tomates cherry
- 1 pepino
- 1 zanahoria
- ½ naranja de mesa
- ⅓ de bulbo de hinojo
- rúcula
- alcaparras
- pipas de girasol
- orégano seco
- 1 pizca de sal marina

Ingredientes para el aliño:

- 2 cucharadas soperas de aceite de oliva virgen
- zumo de ½ limón
- 1 cucharada pequeña de crema de umeboshi
- 1 pizca de pimienta negra
- orégano seco al gusto

Preparación:

Cocer la quinoa con dos medidas de agua (1 medida de cereal por 2 medidas de agua) y una pizca de sal. Llevar a ebullición, desespumar y bajar el fuego al mínimo enseguida. Tapar y dejar cocer durante 12-14 minutos sin tocar. En ese tiempo aproximado el agua queda totalmente consumida y se retira del fuego sin tapa para airear.

Por otro lado, se corta el pepino en rodajas finas, el hinojo en tiras, los tomates cherry en mitades y la zanahoria en tiras finas o láminas (tipo sacapuntas). La naranja se pela y se corta en cuadraditos. Se monta la ensalada con todos los ingredientes, manteniendo armonía en forma y color y poniendo como base la quinoa. Aliñar bien, mezclando previamente los ingredientes del aliño en una batidora.

28. Ensalada de patata, espinacas, kale y aguacate

Ingredientes para 4 personas

Ingredientes para la ensalada:

- 4 patatas pequeñas
- 1 manojo de espinacas frescas
- 1 ramillete de kale
- 1 aguacate maduro
- 5-6 tomates cherry
- 4-5 champiñones
- 1 cucharada sopera de levadura nutricional*
- 1 pizca de sal marina
- Gotas de aceite de oliva virgen

Ingredientes para el aliño:

- 4 cucharadas de aceite de oliva virgen
- zumo de ½ limón
- 1 cucharadita de miso blanco disuelto en un poco de agua
- eneldo seco o fresco al gusto

Preparación:

Cocer en una olla con agua las patatas con piel hasta que se pinchen bien con un tenedor. Una vez blandas, se dejan enfriar un poco, se pelan y se parten en trozos medianos. En una bandeja de horno, colocar los champiñones cortados en cuartos y el kale desmenuzado. Echar unas gotitas de aceite y sal y hornear 5 minutos. Cortar los tomates cherry por la mitad y la pulpa del aguacate en trocitos medianos.

Montar la ensalada con base de espinaca fresca, las patatas y el resto de los ingredientes. Aliñar con la salsa bien mezclada en batidora y aderezar con eneldo seco o fresco al gusto.

Nota. Uno de mis complementos fetiche para las ensaladas es la levadura nutricional inactiva. Además de aportar un sabor exquisito que recuerda ligeramente al queso con nueces, es rica en aminoácidos fáciles de digerir, vitaminas del grupo B y minerales, como magnesio, zinc y manganeso. Favorece la salud de la piel, las uñas y el pelo, y resulta segura de tomar en caso de candidiasis o de sensibilidad a otros tipos de levaduras.

29. Ensalada de caballa, fusilli de sarraceno y berenjena

Ingredientes para 2 personas

Ingredientes para la ensalada:

- 150 g de fusilli de trigo sarraceno
- 6-7 tomates cherry
- 1 zanahoria rallada
- 1 manojo pequeño de rúcula
- 1 lata de caballa en aceite de oliva ecológico

- ½ cebolla
- ½ pimiento amarillo
- ½ berenjena
- 1 cucharada de aceite de oliva

Ingredientes para el aliño:

- 2 cucharadas de aceite de oliva virgen
- 1 cucharada de mostaza natural
- 1 cucharada de vinagre de umeboshi

- 1 cucharada de jugo concentrado de manzana
- ½ cucharada de miso blanco disuelto en agua

Preparación:

Cocer la pasta en agua hirviendo 12 minutos aproximadamente. Cortar la cebolla en cuadraditos pequeños, la berenjena en medias lunas y el pimiento amarillo en tiras pequeñas. Calentar un poco de aceite de oliva en la sartén y saltear la cebolla con la berenjena y el pimiento. Deben quedar crujientes. Reservar.

Montar la ensalada con la base de pasta, después las verduras cocinadas y sobre ellas las verduras frescas: rúcula, tomates cherry y zanahoria rallada. Por último, añadir la caballa en trozos pequeños y aliñar bien con la salsa previamente preparada en la batidora.

30. Nutribol vegano energético

Ingredientes para 2 personas

Ingredientes para la ensalada:

- 1 taza de quinoa blanca
- 5-6 setas de temporada
- 3-4 arbolitos de brócoli
- ½ vaso de garbanzos de bote cocidos (ecológicos)
- ¼ de calabaza pelada
- 2 cucharadas de alga wakame seca
- zumo de ½ limón

- encurtidos variados
- germinados de rabanitos
- 1 pizca de sal marina
- comino en polvo al gusto
- aceite de sésamo
- semillas de sésamo tostado para decorar

Ingredientes para el aliño:

- 2 cucharadas de aceite de sésamo
- 1 cucharada sopera de salsa de soja tamari
- 1 cucharada sopera de jugo concentrado de manzana

- 1 cucharada de postre de jugo de jengibre (rallado y escurrido)
- 1 pizca de pimienta negra molida

Preparación:

Cocer la quinoa con dos medidas de agua (1 medida de cereal por 2 medidas de agua) y una pizca de sal. Llevar a ebullición, desespumar y bajar el fuego al mínimo enseguida. Tapar y dejar cocer durante 12-14 minutos sin tocar. En ese tiempo aproximado, el agua debe quedar totalmente consumida. A continuación, se retira del fuego sin tapa, para airear.

Cortar la calabaza en trozos pequeños y las setas en láminas. Colocarlos sobre papel vegetal en una bandeja de horno, junto con los garbanzos. Salpimentar, echar unas gotitas de aceite y comino en polvo sobre los garbanzos. Hornear durante 10 minutos o hasta que los garbanzos queden ligeramente tostados.

Mientras tanto, sumergir el brócoli en agua hirviendo durante 2 minutos, sacar y enfriar con agua del grifo para resaltar la clorofila. Remojar el alga en un recipiente con agua durante 15 minutos y después escurrir y aliñar con unas gotas de limón y aceite de sésamo.

Componer el bol con la quinoa como base, incorporando por un lado las verduras del horno, el brócoli hervido, el alga, los encurtidos y los germinados. Preparar el aliño aparte con la batidora y echarlo en el bol, rematando con las semillas de sésamo.

Nota. Tanto para veganos como no veganos, este plato único representa una comida completa en cuanto a nutrientes, minerales de calidad y variedad en sistemas de cocción. Aporta energía sostenible durante horas y equilibrio sensorial, por lo que se trata de una comida fácil, limpia, digestiva y deliciosa para todo el mundo.

Cereales en grano y harinas integrales

Me parece importante señalar que, cuando hablo de cereales, no me refiero a los Corn Flakes tostados y azucarados de desayuno o similares, pues carecen de la vitalidad que tiene una semilla, es decir, los cereales en grano, ya sean arroz, quinoa, trigo sarraceno, cebada, espelta, mijo o cuscús. Estos cereales, en sus versiones integrales, generan una energía semejante a la que hace germinar una semilla en la tierra, y esa es la energía que todos anhelamos, ¿no?

Queremos energía todos los días, no solo una vez a la semana. Por eso, saber elegir la fuente de hidratos de carbono es esencial para sentirse vital. Aquí cuenta más que nunca la calidad por encima de la cantidad. Tampoco hay por qué renunciar de vez en cuando a algunas harinas integrales refinadas en molienda de piedra (no industriales), de las que surgen pastas y panes de muy buena calidad.

Por lo general, mis propuestas están libres de gluten debido a que en casa somos dos celíacas y estoy acostumbrada a prescindir de él, pero las recetas que incluyo a continuación se pueden adaptar a otros cereales en grano y harinas completas, como la espelta, el cuscús, la cebada o la avena.

31. Quinotto rápido de alcachofas

Ingredientes para 3-4 personas:

- 2 tazas de quinoa blanca lavada bajo el grifo
- 10-12 corazones de alcachofa bio en conserva
- 8-10 tomates cherry sin piel y cortados en mitades
- 1 cebolla cortada en cuadrados pequeños
- 1 zanahoria rallada
- 4 tazas de agua
- 1 cucharada sopera de polvo de almendra
- 1 cucharada de mantequilla clarificada (ghee)

- 1 trocito de cúrcuma en raíz rallada
- 1 hoja de laurel
- 1 pizca de pimienta negra
- aceite de oliva virgen
- perejil fresco para decorar
- semillas de sésamo tostado para decorar
- 2 cucharadas pequeñas de sal marina
- Pimienta negra molida al gusto

→ Opcional: queso parmesano rallado.

Preparación:

Primero pochar la cebolla con un poco de aceite y sal en una olla mediana sin tapa, a fuego bajo y hasta que esté transparente. Entonces añadir la mantequilla y remover. A continuación, incorporar la zanahoria rallada, los tomates cherry, la quinoa y el laurel. Salpimentar y cubrir con el agua medida. Llevar a ebullición y, cuando hierva, bajar el fuego al mínimo y tapar. Cocer durante 12 minutos aproximadamente, abrir la tapa e incorporar los corazones de alcachofas en mitades. Rallar la cúrcuma y echar junto con la pimienta, un poco más de sal y el polvo de almendra (o el queso rallado, según preferencia). Cocer 3-4 minutos más y retirar del fuego. Servir con semillas de sésamo tostado y perejil fresco.

Nota. La alcachofa es fantástica para limpiar el hígado y reducir el colesterol, ayuda a disolver las grasas y su gran aporte en agua y fibra la hace muy saciante, por eso este plato está especialmente indicado para personas que necesitan depurar el organismo, activando el metabolismo desde el calentamiento interior.

32. Tagliatelle de sarraceno con crema de puerros, guisantes y semillas de cáñamo

Ingredientes para 2-3 personas:

- 1 paquete de 250 g de tagliatelle de trigo sarraceno
- 1 brik de 250 ml de nata de arroz
- 1 puerro
- 1 taza de guisantes bio cocidos
- ⅓ de taza de semillas de cáñamo
- 2 pizcas de sal marina
- 1 pizca de pimienta negra
- cebollino picado
- aceite de oliva virgen

Preparación:

Cortar el puerro muy fino y saltear con un poco de aceite y sal en una sartén honda, a fuego medio-bajo, sin dejar de mover y hasta que el puerro quede blando. Añadir después los guisantes escurridos, la nata de arroz y la pimienta, y remover bien.

Por otro lado, cocer los tagliatelle en agua hirviendo con sal durante el tiempo indicado en el paquete (normalmente los de sarraceno se hacen en 2-3 minutos). Sacar y mezclar en una sartén con la crema. Servir con las semillas de cáñamo por encima y el cebollino picado.

Nota. Una comida de mediodía exprés para gente sin tiempo, pero con necesidad de recuperar energía de una forma sabrosa y con textura cremosa. Se trata de una combinación de proteínas vegetales de fácil asimilación, así como de fibra, minerales e hidratos de absorción lenta. Además, está libre de gluten.

33. Espaguetis con caldo de pescado y berberechos

Ingredientes para 2-3 personas:

- 1 l de caldo de pescado (preferiblemente hecho en casa)
- 1 paquete de espaguetis de quinoa, trigo ecológico o similar*
- 12-15 tomates cherry rojos, naranjas y amarillos, cortados en mitades
- 1 lata de berberechos de calidad al natural

- 1 cebolla en cuadraditos
- 1 diente de ajo picado
- 1 chorrito de vino blanco
- 1 pizca de sal marina
- aceite de oliva virgen
- pimienta negra en grano
- perejil fresco para decorar
- 2 cucharadas pequeñas de sal marina
- 1 pizca de pimienta negra molida

Preparación:

Lo ideal es tener ya hecho el caldo, tal vez porque hicimos una sopa o similar y reservamos una parte. El caldo base de pescado suelo hacerlo en una olla exprés con 1 cebolla entera, 2 patatas y todas las raspas de pescado que guardo (cabezas de merluza y langostinos, espinas de rape, etcétera), una hoja de laurel, sal y 2-3 granos de pimienta negra. Tapo y dejo hervir a fuego lento una hora.

A la hora de preparar los espaguetis, empiezo pochando la cebolla en una sartén con aceite y sal hasta que esté transparente. Después, añado el ajo, los tomates cherry y los berberechos escurridos, y remuevo 5 minutos más. A continuación salpimiento y añado un chorrito de vino blanco.

Por último, hay que poner el caldo de pescado en la olla donde coceremos los espaguetis cuando este hierva. Dependiendo del tipo de pasta, tardarán entre 8-12 minutos, y una vez que la pasta esté al dente, se saca y se lleva directamente a la sartén con el resto de los ingredientes. Se mezcla todo bien y se sirve caliente con perejil fresco.

Nota. Otra de mis recetas rápidas y sencillas, pero con mucho sabor. El truco está en cocer la pasta en el caldo de pescado casero en lugar de en agua. En épocas de cansancio, los berberechos son una fuente de hierro significativa, especialmente útil en casos de anemia. *La pasta puede ser de quinoa, arroz, espelta, maíz o trigo ecológico integral.

34. Pan energético de grano germinado, de Juan Carlos Menéndez

Mi querido amigo Juan Carlos Menéndez es un apasionado de la investigación gastrosaludable y ha dedicado gran parte de su carrera culinaria a desarrollar propuestas innovadoras para todos los públicos, por lo que, a día de hoy, es uno de los mayores especialistas del país del mundo sin gluten. Gracias a él he aprendido a recuperar el placer de comer un buen pan integral de vez en cuando, introduciendo harinas de cereales alternativos muy nutritivos. Además, he tenido el honor de colaborar en su gran libro *Pan casero sin gluten*, editado por Larousse.

Ingredientes:

- 250 g de harina de sarraceno o mijo germinado
- 250 g de almidón de maíz
- 500 g de agua
- 4 g de vinagre de manzana
- 2 g levadura seca o 6 g de fresca de panadería
- 10 g de sal
- 15 g de psyllium*
- 20 g de goma xantana*
- 30 g de proteína vegetal (guisante, patata, arroz) o tres claras de huevo
- 30 g de aceite de oliva virgen

Para enriquecer el pan:

- 40 g de arándanos rojos deshidratados (o pasas)
- 40 g de nueces en trocitos

→ Necesitaremos dos moldes rectangulares de 25 cm de largo por 8 cm de ancho.

Preparación:

Pon el agua templada (unos 30 °C) en un recipiente y añade la levadura, mezcla bien con una varilla para que no queden grumos y reserva.

En otro recipiente pesa los ingredientes secos (menos los arándanos y las nueces, que añadirás al final del amasado) y remueve el conjunto para que se mezcle bien. Si no dispones de proteína vegetal, utiliza claras de huevo y, en ese caso, añádelas al recipiente del agua.

Vuelca el recipiente de harinas sobre el agua con la levadura y añade el aceite. Comienza el amasado; si es en amasadora, tendrás el conjunto amasando con el gancho durante 15 minutos a velocidad media. Si amasas a mano, una vez mezclados todos los ingredientes, vuelca la masa en la mesa y masájeala hasta que la masa quede como una plastilina, suave y lisa. Añade los arándanos e intégralos.

Cuando termines el amasado, coloca la masa en la mesa y divide en dos porciones; puedes añadir un poco de aceite en la mesa para que no se pegue la masa. Da a cada porción forma de rulo y colócala en los moldes.

Deja los moldes a temperatura ambiente tapados con un paño durante media hora para que se empiece a activar la levadura y después cúbrelos con film para que no se sequen.

Mételos en la nevera 12 horas aproximadamente para que las levaduras tengan tiempo de transformar los azúcares existentes en las harinas y bajar el índice glucémico. Tras esas 12 horas saca los moldes y deja 1 hora a temperatura ambiente para que la masa pierda el frío (tienen que seguir cubiertos para que no se seque la superficie).

Precalienta el horno a 225 ºC, con calor arriba y abajo. Cuando alcance la temperatura de precalentado, espera unos minutos más antes de meter los panes para que el horno se precaliente bien.

Coloca los moldes en una rejilla y mételos en el horno en el segundo carril empezando por abajo (tienen que estar más cerca del suelo del horno que del techo), añade en el suelo del horno tres cubitos de hielo (esto es para generar el vapor suficiente para que el pan se hornee bien), baja la temperatura del horno a 180 ºC y hornea durante 40 minutos.

Una vez terminado el horneado, apaga el horno, deja la puerta abierta y los moldes 5 minutos dentro. Pasado este tiempo, saca los moldes del horno y con cuidado desmolda los panes y colócalos sobre una superficie porosa para que sequen bien (vale una esterilla de bambú, sobre madera o sobre un paño).

La recomendación de Juan Carlos es que, una vez fríos, cortes uno de los panes, lo envuelvas en un paño de tela y vayas cortando rebanadas según necesites; de esta manera te durará en perfectas condiciones durante más de una semana. El otro pan se puede partir en rodajas y congelar para disponer de él en cualquier momento.

COME PARA COMERTE EL MUNDO

Nota. *Aprendí de Juan Carlos las propiedades y los usos de fibras y polisacáridos naturales, como el psyllium y la xantana, para la elaboración de panes caseros. Creía, como mucha gente, que restaban naturalidad a los panes, pero nada más lejos de la realidad: primero, se utilizan cantidades minúsculas; y segundo, son importantes para dotar de hidratación y propiedades viscoelásticas a las masas. En su libro *Pan casero sin gluten* está perfectamente explicado.

Platos con huevo

35. Huevos picantes con setas y trigueros

Ingredientes para 2-3 personas:

- 4-5 huevos ecológicos
- 6-8 setas de temporada
- ½ cebolla
- 1 manojo de espárragos trigueros
- aceite de oliva virgen
- 1 pizca de sal marina
- unas gotas de jengibre rallado y escurrido
- orégano seco para decorar

Preparación:

Cortar la cebolla en cuadraditos, los espárragos en plumas pequeñas y las setas limpias en láminas. Calentar el aceite en una sartén y empezar pochando la cebolla a fuego bajo hasta que esté transparente. Añadir después las verduras, junto con la sal y las gotas de jengibre, y saltear 3-4 minutos, dejándolas un poco crujientes. Reservar.

Aparte, batir los huevos en un bol. Echar las verduras en el bol, calentar de nuevo la sartén y volcar en ella la mezcla moviéndola a modo de huevos revueltos. Es importante que los huevos queden jugosos. Servir con orégano seco.

Nota. Deliciosa sencillez, incluso para desayunar un día sin prisas. Calidad y presentación marcan la diferencia. O para comer a mediodía junto con algún cereal integral y algo más de verdura dulce, como la zanahoria o la calabaza, que compensará el efecto «tensor» de los huevos.

36. Huevos rellenos al curry

Ingredientes para 3-4 personas:

- 6 huevos frescos ecológicos
- 2-3 zanahorias
- 2 tomates pera
- 1 cebolla
- 2 cucharadas de postre de curry en polvo
- 1 diente de ajo
- cúrcuma de raíz rallada
- aceite de oliva virgen
- 1 pizca de sal marina
- 1 pizca de pimienta negra
- uvas pasas para decorar

Preparación:

Cocer los huevos enteros en agua hirviendo con una pizca de sal durante unos 10-12 minutos. Sacarlos y, una vez que se enfríen un poco, pelarlos y partirlos en mitades. Sacar las yemas cocidas con cuidado y reservarlas en un plato aparte.

Por otro lado, se corta la cebolla en láminas finas y se pocha en una olla con un poco de aceite y sal, aproximadamente 12 minutos a fuego bajo. Añadimos el ajo picado y las zanahorias peladas y en rodajas finas. Removemos e incorporamos después los tomates pelados y cortados en trozos pequeños, junto con las yemas de los huevos. Si hiciera falta algo más de humedad, podemos añadir un poco más de aceite o algo de agua. Seguimos removiendo a fuego bajo y echamos las especias al gusto. Cuando se note la zanahoria blanda, retiramos del fuego y lo trituramos todo en el vaso de una batidora, hasta lograr la consistencia de un puré espeso.

Se colocan las claras de huevo en una fuente y, con ayuda de una cuchara, se va rellenando el hueco de la yema con el puré de curry. Servir los huevos rellenos recién hechos o a temperatura ambiente si hace calor. Decorar con pasas.

37. Pesto de verduras con huevo (para hojaldre)

Ingredientes para 4 personas

Para el relleno del hojaldre:

- 2 huevos frescos ecológicos
- 1 brik de 250 ml de nata de arroz
- 6-8 tomates cherry de distintos colores
- 5-6 setas de temporada
- ½ calabacín
- ¼ de calabaza pelada
- 1 puñado de piñones
- masa de hojaldre comprada (opcional sin gluten)
- 1 pizca de sal marina
- 1 pizca de pimienta negra

Para el pesto:

- 1 manojo de perejil fresco sin tallos
- 1 manojo de hojas de albahaca fresca
- 1 diente de ajo
- 1 vaso de polvo de almendras
- 2 cucharadas de miso blanco disueltas en ¼ de vaso de agua templada

Preparación:

Preparar las verduras cortadas en trozos medianos y reservar.

Por un lado, se mezclan todos los ingredientes del pesto en una batidora, buscando una textura cremosa. Para ello, es posible jugar un poco con el aporte de agua y de polvo de almendras.

En un bol aparte se baten los huevos y se añaden la sal, la pimienta y el brik de nata. Mezclar el pesto con los huevos batidos y, después, los trozos de verdura.

Preparar una fuente de horno con la masa de hojaldre extendida y adaptada a los bordes. También valdrían varios moldes pequeños con formas, «forrados» con la masa del hojaldre.

Volcarlo todo en el interior de la fuente con el hojaldre y rematar con los piñones por encima y un poco de almendra molida.

Hornear durante 20-30 minutos a 200 °C, dependiendo del tamaño y la potencia del horno. Servir caliente.

38. Pudin de verduras con salsa de remolacha

Ingredientes para 4 personas:

- 1 ramillete de brócoli
- ½ kg de zanahorias
- 300 g de espinacas frescas
- 250 g de nata de arroz
- 2 huevos bio
- 1 diente de ajo

- 1 pizca de sal marina
- 1 pizca de pimienta negra
- 1 pizca de nuez moscada
- aceite de oliva virgen
- especias o hierbas aromáticas (opcional)

Preparación:

Pelar las zanahorias y cortarlas en rodajas finas, hacerlas al vapor 2 minutos y pasarlas por la sartén 1-2 minutos con algunas gotas de aceite de oliva, sal, pimienta y nuez moscada. Reservar. En agua hirviendo con sal, sumergir el brócoli previamente desmenuzado en arbolitos durante 2 minutos. Sacar e inmediatamente después sumergir en agua fría y colar. Cortarlo en láminas transversales. Reservar.

Saltear las hojas de espinacas limpias con el ajo picado, la sal y la pimienta no más de 1 minuto.

Batir aparte los huevos con la nata de arroz y salpimentar. Añadir especias o hierbas aromáticas al gusto si se desea. A continuación, mezclar con todas las verduras juntas y verter en un molde para horno. Sumergir el molde en una bandeja de horno con agua para hacerlo al baño maría dentro del horno a 150 °C durante 40 minutos. Dejar enfriar y desmoldar.

Acompañar de una salsa de remolacha casera espesa, cuya elaboración parte de la base de un puré de zanahorias casero (cebollas, zanahorias, agua, sal y laurel), al que le añadiremos al final trocitos de remolacha hasta dar con el color deseado.

Nota. Este plato es un entrante atractivo y ligero para un menú energético, gracias a su colorido y aporte en proteínas de alto valor biológico, vitaminas, minerales y fibra. El sistema de cocción utilizado activa la energía del organismo desde el calentamiento interior y proporciona dulzor natural en los sentidos.

---

*Foto y receta realizada para la revista *ELLE Gourmet*, diciembre 2017, Especial Navidad.

Platos con pescado

39. Croquetas de bacalao (sin bechamel) con salsa de remolacha

Ingredientes para 10-12 croquetas:

- 2 lomos de bacalao fresco desalado
- 1 taza de mijo cocido
- 1 cebolla picada
- 1 diente de ajo picado
- 1 tira de alga wakame remojada previamente en agua
- 2 cucharadas de salsa de soja tamari
- 1 pizca de raíz de cúrcuma rallada
- 1 pizca de pimienta negra
- harina fina de maíz para rebozar
- perejil picado fino
- aceite de oliva virgen
- 2 pizcas de sal marina

Ingredientes para la salsa:

- 3-4 zanahorias cortadas en rodajas
- 1 remolacha cocida
- 1 cebolla
- 1-2 cucharadas de jugo concentrado de manzana
- 1 pizca de sal marina
- albahaca seca (si es fresca, se pone al final)
- unas gotas de vinagre de manzana
- aceite de oliva virgen

Preparación de las croquetas:

Cocer el mijo en una olla con tapa a fuego bajo (1 medida de cereal por 2,5 de agua y una pizca de sal). Una vez que esté blando, triturar con la batidora hasta que tenga consistencia de puré y dejar enfriar unos minutos.

Saltear en la sartén, en aceite caliente y con una pizca de sal, la cebolla y el ajo durante 10 minutos. Añadir el bacalao desmigado, el alga troceada, el perejil, la cúrcuma, la pimienta y la sal. Por último, ir añadiendo poco a poco la cantidad de mijo que le dé consistencia de masa para modelar. Mezclar todo bien y formar croquetas con las manos húmedas.

Rebozarlas con un poco de harina y pincelarlas con unas gotitas de tamari y aceite de oliva antes de meterlas en el horno. Podemos guardar las croquetas en la nevera bien tapadas un par de días y hornearlas en el momento.

Acompañar con salsa de remolacha.

Preparación de la salsa:

Saltear la cebolla cortada con aceite y una pizca de sal, sin tapa y a fuego medio durante 10-12 minutos. Añadir las zanahorias, la albahaca seca y cubrir con agua hasta la mitad de la verdura. Tapar y cocer a fuego bajo durante 15 minutos.

Hacer puré las verduras y añadir poco a poco trozos de remolacha hasta obtener el color deseado. Rematar con unas gotas de vinagre y con concentrado de manzana al gusto.

Nota. Hay alternativas mucho más saludables que la bechamel y los fritos, pero no por ello tenemos que renunciar a unas ricas croquetas. Esta versión al horno, además de estar deliciosa, proporciona una buena proteína, energía sostenible del cereal, vitaminas del grupo B y una gran dosis de omega 3. La salsa aporta el dulzor natural que compensa la energía concentrada de la croqueta. El menú quedaría completo con una ensalada fresca.

40. Calabacines rellenos de coliflor y gambones

Ingredientes para 2 personas:

- 2 calabacines redondos
- 3 flores de coliflor ralladas en crudo
- 8-10 gambones limpios congelados
- ⅓ de pimiento amarillo
- ⅓ de pimiento rojo en cuadraditos
- 2 dientes de ajo picado
- 1 trozo de raíz de cúrcuma rallada en el momento
- aceite de oliva virgen
- 1 pizca de sal marina
- 1 pizca de pimienta negra
- perejil seco (o fresco)

Preparación:

Primero se preparan los calabacines redondos, cortándoles lo que sería «la tapa» de la copa, y se hacen unos surcos con un cuchillo en la pulpa interior. Se echan unas gotas de aceite de oliva y una pizca de sal, y se hornean unos minutos, lo suficiente para que se ablande la pulpa y que al sacarlos se puedan vaciar con una cuchara. Reservar tanto las copas como la pulpa.

Saltear en una sartén caliente con un poco de aceite los ajos picados, junto con la coliflor, los pimientos y la pulpa de los calabacines (bien picada). Aproximadamente 5 minutos después se incorporan los gambones. Una vez que la coliflor y los gambones estén bien dorados, añadir la cúrcuma y la pimienta al final.

Rellenar las copas de calabacín con la mezcla y servir caliente con perejil seco o fresco.

41. Salmón al papillote con eneldo y bimi

Ingredientes por persona:

- 1 lomo de salmón salvaje
- 4-5 arbolitos de bimi*

Ingredientes para el aliño:

- 2 cucharadas de salsa de soja tamari
- 1 cucharada de jugo concentrado de manzana
- 1 cucharada de aceite de oliva virgen
- zumo de ½ medio limón
- eneldo seco

→ Papel vegetal para horno

Preparación:

Hacer primero la vinagreta en un bol mezclando todos los ingredientes.

Por otro lado, colocar 2 láminas de papel vegetal, una sobre otra, en la encimera. Poner una cama de bimi, bien en tiras largas, bien cortado en trocitos, y sobre ella colocar el lomo de salmón. Rociar con el aliño. Envolver con el papel, haciendo un paquete bien cerrado con los extremos hacia arriba para que no se salga el aliño. Hornear durante 12-14 minutos a 200 ºC, con cuidado de que no se queme el papel. Hay a quien le gusta más hecho el salmón, o quizás un poco rosa en el centro, es cuestión de gustos. Verter el contenido del paquete en un plato y servir acompañado de arroz integral y ensalada de pepino con rabanitos.

Nota. *El bimi es una verdura crucífera resultado de mezclar el brócoli con una variedad oriental de col. En España se ha introducido hace menos de una década, y se ha hecho muy popular por su efecto prebiótico y antioxidante, así como por su alto contenido en fibra, vitaminas C, D, ácido fólico, calcio, hierro, fibra, zinc y magnesio. Hay muchas variedades de salmón salvaje, y está demostrado que puede contener algo más de mercurio que el de piscifactoría, al no estar controlada su alimentación. El de piscifactoría sí está controlado, pero puede tener más cantidad de otros metales y antibióticos procedentes de piensos preparados para su producción en masa, así como más grasas saturadas, calorías y omega 6. El salvaje, por lo general, concentra mayor cantidad de omega 3, proteínas y minerales como potasio, zinc y hierro. El color del salmón salvaje es mucho más rosado, al alimentarse naturalmente de crustáceos y plancton, ambos ricos en un pigmento antioxidante conocido como astaxantina. El salmón de piscifactoría es más grisáceo, por eso se tiñe con este pigmento ya sintetizado, para que parezca más natural. El debate está abierto.

42. Atún con tomate, de David Ariza

Si alguien sabe poner en valor nuestro entorno, ese es mi buen amigo David Ariza, que trabaja incansablemente desde la costa levantina por ensalzarlo a través de la más exquisita gastronomía. Con David comparto su imparable curiosidad por aplicar lo mejor de la naturaleza al divino placer de comer y nutrirse bien, poniendo toda nuestra conciencia en el impacto que tiene nuestra forma de comer en el entorno que vivimos, en mares y montañas, además de en nuestra propia salud. También he compartido con él charlas muy enriquecedoras y colaboraciones en la carta del restaurante Bumpgreen de Madrid.

David es un verdadero experto en pescados mediterráneos. Esta receta con sabor a mar, sencilla y sabrosa, nos recarga de minerales, proteínas de alto valor biológico y los famosos ácidos grasos omega 3.

Ingredientes por persona:

* 150 g de atún (melva, bonito o bacoreta)
* 2-3 cucharadas de puré de tomate asado
* tomates secos en aceite
* tomate seco
* rúcula
* flores de oxalis

Ingredientes para el puré de tomate asado:

* 1 kg de tomates maduros
* 250 g de aceite de oliva suave
* sal
* pimienta

Preparación del atún:

Calentar agua con un 3,5 % por ciento de sal; cuando comience a hervir, verterla sobre el atún y dejar reposar 5 minutos; retirar el atún, secar y poner en un recipiente cubierto con aceite de oliva. Dejar reposar 24 horas.

Preparación del puré de tomate:

Asar los tomates a 180 °C durante 30 minutos, poner en un colador y dejar escurrir toda la noche (reservar el agua para el *bloody mary*). Al día siguiente triturar en un robot y, cuando esté bien triturado, emulsionar con el aceite de oliva.

Poner el puré de tomate en la base del plato, añadir el taco de atún, terminar con los diferentes tomates, las hojas y las flores.

Platos con carne

Para los amantes de la carne, sea roja o blanca, la calidad se convierte en un requisito indispensable, tanto por el disfrute de sabores auténticos como por el significativo aporte de proteínas de alto valor biológico, hierro y vitamina B12. A estas alturas del libro ya sabemos que la carne tiene un efecto de calentamiento interior, y que debe tomarse con moderación para no tensar el organismo en el plano energético, evitar apegos a los dulces y acidificar el pH de la sangre.

Se recomienda elegir siempre carnes procedentes de animales criados en libertad a base de pastos naturales, ecológicos, libres de hormonas, aditivos químicos y antibióticos. Si decidimos comer carne, es importante combinarla con verduras de temporada, especialmente las de hoja verde; también con setas, pues tanto unas como otras facilitarán un intestino limpio tras su digestión.

43. Albóndigas de zanahoria y ternera bio al horno

Ingredientes para 4-6 personas:

- 6 zanahorias
- 250 g de carne picada de ternera ecológica
- 50 g de pan rallado sin gluten
- 25 ml de leche de arroz
- 2 dientes de ajo picados muy finos
- 1 huevo
- 1 pizca de sal marina
- 1 pizca de pimienta negra
- 1 pizca de nuez moscada
- perejil seco
- harina de garbanzos para rebozar

Ingredientes para la salsa:

- 4-5 tomates pelados
- 1 cebolla
- 1 puñado de champiñones
- 150 ml de agua
- 90 ml de vino blanco
- 1 cucharada sopera de aceite de oliva virgen
- 1 diente de ajo
- 2-3 clavos molidos
- 1 pizca de sal marina
- 1 pizca de pimienta negra

Preparación de las albóndigas:

Rallar las zanahorias o triturarlas con un robot, para luego mezclarlas en un bol con todos los ingredientes. Hacer las albóndigas con las manos húmedas y rebozarlas en harina. A medida que las vamos haciendo, las vamos colocando en una fuente honda para horno.

Preparación de la salsa:

Preparar la salsa por otro lado, primero pochando la cebolla y el ajo en una olla mediana, con un poco de aceite y sal. A continuación, se añaden los champiñones y los tomates en trozos pequeños y se cocina todo junto en la olla sin tapa durante 3 minutos. Enseguida se echa el vino, se remueve un minuto y se añade el agua junto con las especias. Se baja el fuego al mínimo y se cuece 5 minutos más. Si se desea, se puede triturar la salsa en este momento con una batidora para dejarla más fina.

Una vez hecha la salsa, se vierte encima de las albóndigas y se mete la fuente en el horno durante 15 minutos, a 180 ºC por arriba y por abajo. Servir las albóndigas calientes acompañadas de un cereal integral.

44. Lasaña de ternera bio, verduritas y bechamel de coliflor

Ingredientes para 4-6 personas:

- 1 paquete de pasta para lasaña (la hay sin gluten)
- 250 g de carne picada de ternera bio
- 3 zanahorias ralladas
- 2 calabacines cortados en cubitos
- 2 cebollas picadas
- 1 taza de champiñones cortados en láminas finas

- ½ diente de ajo
- 2 hojas de laurel
- 3 pizcas de sal marina
- perejil picado fino
- aceite de oliva virgen
- salsa de soja tamari
- albahaca seca
- tomillo

→ Almendra en polvo o queso parmesano para gratinar

Ingredientes para la bechamel:

- 2 cebollas peladas y cortadas en juliana
- 1/2 coliflor desmenuzada
- 1 cucharada pequeña de sal
- 1 pizca de pimienta negra molida

- 1 pizca de nuez moscada
- 2 cucharadas soperas de aceite de oliva virgen
- Aproximadamente 200 ml de agua filtrada

Preparación:

En una sartén honda, saltear la cebolla y el ajo con aceite y una pizca de sal durante 15 minutos. Añadir los champiñones y los calabacines, y saltear durante 5 minutos más. Luego agregar las zanahorias, la carne picada y las hierbas aromáticas. Tapar y cocinar 10 minutos más.

Cocer las tiras de lasaña en agua hirviendo unos segundos, retirar, lavar con agua fría y escurrir.

Hacer la bechamel de coliflor bien espesa.

Bechamel: en una olla sin tapa, sofreír 2 cebollas en rodajas finas con un poco de aceite de oliva y una pizca de sal durante 12 minutos. Añadir ½ coliflor limpia y desmenuzada en árboles, cubrir a la mitad con agua, un poco de sal, nuez moscada y pimienta negra, y tapar. Cocer a fuego medio durante 15-20 minutos. Batir bien hasta lograr la textura de una bechamel.

Pincelar una fuente para horno con un poco de aceite, añadir una capa de lasaña, luego el relleno y la bechamel. Seguir con capas hasta cubrir la bandeja, espolvorear almendra en polvo (o parmesano, según preferencias) y gratinar. Servir recién sacada del horno.

45. Ternera blanca a la sal, con emulsión de espinacas, zanahoria y lactonesa de vainilla, de Javier Aranda

De estas cosas inesperadas que te pasan en la vida, como conocer a uno de los grandes talentos gastronómicos de nuestro país, un verdadero chef estrella, y no solo porque Michelin se las asigne. Ver a Javier Aranda trabajando en su cocina del restaurante Gaytán es todo un espectáculo, yo me quedé sin palabras la primera vez que le vi, aunque sin delantal no hay quien nos calle... Hablamos sin parar sobre colores, sabores naturales, cuidado de la materia prima y texturas. Con Javier conecté al segundo y medio, compartimos la pasión por el equilibrio sensorial ¡y todavía no sé a cuál de los dos nos gusta más comer!

En su receta encontramos la norma del equilibrio energético, donde se juega de una forma sutil y elegante con los sabores, texturas y colores. La ternera blanca que trabaja Javier es 100% gallega y alimentada con pastos naturales, lo que la enriquece todavía más en ácidos grasos omega 3 y linoleicos, ambos con efectos beneficiosos para la salud. Los más atrevidos en la cocina disfrutarán mucho elaborándola, al ser sencilla y creativa.

Ingredientes para 4 personas
Ingredientes para la cocción de la ternera:

- 600 g de lomo alto de ternera blanca de lechal
- 2 kg de sal gorda
- 1 cuchara de tomillo seco
- 1 cuchara de romero seco
- 10 g de bolas de pimienta negra
- 1 cucharada sopera de agua

Preparación de la ternera:

Mezclaremos la sal con las hierbas y la pimienta, e iremos añadiendo agua hasta proporcionarle una humedad suficiente a la sal para poder cubrir la carne entera.

Utilizaremos un recipiente de horno, en el que colocaremos una base de sal de al menos dos dedos. Acto seguido dispondremos los 600 g de carne encima y la recubriremos por completo de sal. Mientras realizamos esta acción, vamos a ir precalentando el horno a 200 ºC. Una vez obtenida la temperatura, introducir la carne durante 8 minutos, sacar del horno y dejar reposar a temperatura ambiente 5 minutos. Justo antes de disponerla en el plato en que la vamos a servir, volvemos a calentarla 4 minutos más a 200 ºC. Sacar del horno y romper la costra de sal para así comenzar con el trinchado de la carne.

Ingredientes para la emulsión de espinacas:

* 1 manojo de espinacas de 500 g
* 1 cucharada sopera de sal marina

Preparación de la emulsión de espinacas:

Poner agua a hervir con sal y, una vez que empiece a hervir, introducir las hojas de espinacas, cocer durante 30 segundos y luego retirar y meter en un recipiente con agua y abundante hielo. Una vez frías, extraer del agua, escurrir y reservar.

Por otro lado, con los tallos haremos una infusión introduciéndolos en agua e hirviéndolos durante 2 minutos; luego colamos los tallos y los desechamos, y nos quedamos solamente con el agua infusionada.

Una vez que tenemos las hojas escaldadas y el agua de cocción del tallo fría, ponemos en un robot de cocina las hojas y añadimos poco a poco el agua infusionada hasta obtener un licuado de color verde intenso y textura líquida.

Ingredientes para la crema de zanahoria:

* 500 g de zanahoria
* 40 g de mantequilla artesana
* 1 cucharada sopera de sal marina

Preparación de la crema de zanahoria:

Disponer de una olla donde hervir agua con una pizca de sal; mientras tanto se pelan las zanahorias y se cortan en rodajas finas. Cuando hierva el agua, añadir las zanahorias y cocer hasta que estén blandas; seguidamente sacar del agua caliente y disponer en un recipiente con agua y hielo, enfriar y meter en un robot de cocina. Para triturar iremos añadiendo la mantequilla en pequeños dados mientras tritura. Una vez obtenida la textura deseada, extraer del robot y colar.

Ingredientes para la lactonesa de vainilla:

- 400 ml de leche
- 200 ml de aceite de oliva suave
- 1 rama de vainilla

Preparación de la lactonesa de vainilla:

Poner la leche y la vainilla a hervir y reducir los 400 ml a 150 ml aproximadamente, retirar del fuego, colar y reservar. Una vez fría la reducción, con la ayuda de una túrmix iremos añadiendo a hilo fino el aceite como si de una mayonesa se tratara. El resultado será igual que el de una mayonesa, pero sin huevo.

Ingredientes para el cristal de patata:

- 500 g de patatas
- sal marina

Preparación del cristal de patata:

Poner las patatas enteras a cocer hasta que estén blandas, sacar del fuego y pelar. Una vez peladas, se hace un puré con ellas y se pasa por un tamiz o colador para eliminar las fibras y que quede un puré fino. Después se coloca papel de horno encima de una superficie plana (mesa de cocina), y se extiende sobre él parte del puré de patata tamizado. Se vuelve a poner papel de horno encima con ayuda de un rodillo de pastelería, y se amasa hasta que se disponga de manera regular sobre toda la superficie del papel. Un truco es mirar el papel a trasluz para ver el estirado, que ha de ser muy fino; dejar a temperatura ambiente y secar aproximadamente 12 horas. Una vez seca la patata, obtendremos un papel de esta que podremos cortar en pedazos y freír a modo de chip.

Para ello, calentar aceite de oliva 0,4° a unos 170 °C (en vitrocerámica, calentar el aceite en el número 3 durante 15 minutos, dependiendo de la cantidad de aceite). Una vez caliente, apagar el fuego e ir metiendo los cristales poco a poco y sacándolos sobre papel de cocina para que escurra bien el aceite.

El polvo de tomate lo podemos comprar en las grandes superficies, obtenido del tomate seco.

Nota. Para la lactonesa de vainilla, se puede sustituir la leche de vaca por leche de almendras en la misma proporción.
Los chips de cristal de patata aportan el toque crujiente y gamberro a un plato jugoso y tierno. Tengo que confesar que me enamoraron.

Dulces sin remordimientos

46. Tarta de arándanos y ciruelas

Ingredientes para 4 personas:

- 250 ml de crema de coco
- 2 huevos ecológicos
- 2 ciruelas de temporada en trocitos pequeños (moradas o amarillas)
- 60 g de sirope de arce
- 50 g de almendra picada
- 50 g de harina de coco
- 40 g de mantequilla clarificada (ghee) derretida
- 1 puñado de arándanos frescos

Preparación:

Mezclar todos los ingredientes con una batidora, a excepción de la fruta, que se añade al terminar. Colocar la mezcla final en un molde de tarta y hornear a 180 °C durante 25 minutos. Dejar enfriar, servir y saborear con los ojos cerrados.

Nota. ¿Por qué elegir ghee? Ghee es una mantequilla clarificada sin apenas lactosa que contiene una mayor concentración de ácido butírico, conocido por sus efectos positivos sobre el sistema inmunológico y la inflamación.

47. Tarta de boniato y avena

Ingredientes para 4-6 personas

Ingredientes para el relleno:

- 3 manzanas golden peladas y en cuadrados
- 2 boniatos medianos pelados y en cuadrados
- ½ taza de leche de avena
- 1 pizca de sal
- 2 cucharadas de alga seca agar-agar
- ½ cucharada de vainilla en polvo
- 1 cucharada de sirope de agave (opcional)

Ingredientes para la base:

- 1 taza de copos de avena (opcional sin gluten)
- ½ taza de harina de almendras
- ½ taza de uvas pasas
- 2 cucharadas de aceite de coco virgen ecológico

Ingredientes para el *topping*:

- crema natural de algarroba con avellanas o crema de cacao con leche de arroz
- avellanas o almendras picadas para decorar

→ Necesitaremos un molde de tarta.

Preparación:

Primero se prepara la base de la tarta, mezclando todos los ingredientes en un robot de cocina, añadiendo sorbitos de agua caliente para que coja un poco de humedad y así lograr una masa que se pueda aplastar en el fondo del molde de tarta. Una vez extendida la masa y preparada la base, se deja enfriar.

Por otro lado, cocer en una olla a fuego bajo unos 14 minutos los boniatos y las manzanas con la leche de avena, el agar-agar, la pizca de sal, la vainilla y el endulzante. Remover y, cuando esté todo blando, triturar y echar el puré sobre la base elegida, previamente colocada en el molde de tarta.

Dejar enfriar en la nevera 2 horas y después cubrir con el *topping* y decorar con almendras o avellanas picadas.

Nota. *Las cremas de untar se venden ya hechas, endulzadas con melaza de arroz. Pero también se pueden hacer caseras con harina de algarroba o cacao, leche de arroz, una pizca de sal marina y melaza de arroz. Se calientan todos estos ingredientes en un cazo a fuego bajo, removiendo hasta lograr una consistencia espesa como para cubrir.

48. Tarta de fresones

Ingredientes para 4-6 personas:

- 4 plátanos maduros
- ½ kg de fresones ecológicos
- ½ kg de frambuesas (o todo fresones)
- ½ l de leche de arroz
- 30 g de sirope de agave
- 1 limón para ralladura

→ Molde para tarta

- 2-3 cucharadas soperas de agar-agar en polvo
- 1 vaina de vainilla
- 1 pizca de sal
- coco rallado para decorar
- hojas de menta para decorar

Ingredientes para la base:

- 250 g de copos de avena (opcional sin gluten)
- 100 g de almendra picada

- 8 dátiles sin hueso
- 3 cucharadas soperas de aceite de coco

Preparación de la base:

Con la ayuda de un robot de cocina, triturar unos segundos los copos de avena con la almendra y los dátiles. Añadir después el aceite de coco (derretido) y con la espátula mezclar bien.

Extender la masa en un molde de tarta como fondo, aplastar y reposar.

Preparación del relleno:

En una olla, calentar a fuego medio-bajo la leche de arroz con la vaina de vainilla, la pizca de sal, la ralladura del limón, el sirope y el agar-agar. Remover durante 10 minutos, hasta que el agar-agar vaya espesando la mezcla.

Lavar bien las fresas y quitarles las hojas verdes, pelar los plátanos y trocear. Sacar la vaina de vainilla, raspar el interior e introducirlo en la olla. Añadir toda la fruta y triturar la mezcla.

Verter sobre la base de la tarta y dejar enfriar 2 horas en la nevera. Decorar con trozos de fresas en láminas (rociadas con gotitas de limón para evitar que se oxiden), coco rallado y hojas de menta.

Nota. Esta tarta es un verdadero cóctel de vitaminas y antioxidantes naturales gracias a la fruta de temporada, y también una fuente de fibra prebiótica gracias a la avena y el alga agar-agar, que le confiere esta textura gelatinosa. Aprovechando los fresones de temporada, puedes disfrutar de un postre delicioso con pocas calorías, saciante, crujiente en la base y ligero, dulce y refrescante en su interior.

49. Bolitas de algarroba

Ingredientes para 4 personas:

- 1 taza de algarroba en polvo
- 10 dátiles sin hueso
- ½ taza de almendra en polvo
- ⅓ de taza de coco rallado
- ralladura de 1 naranja

Preparación:

Colocar los dátiles con un pequeño fondo de agua y triturarlos bien. Mezclar con el resto de los ingredientes y hacer una masa compacta.

Tomar una pequeña cantidad con las manos húmedas. Hacer bolitas y rebozarlas con más coco rallado. Dejar enfriar en la nevera un par de horas.

La vida puede ser bella, sencilla y feliz, y por qué no recordártelo de ahora en adelante cada vez que mires tu plato de comida.

Recuerda que el tiempo que dedicas a preparar un menú equilibrado es proporcional al tiempo de calidad que vives con los años.

Así que ¡buen viaje por la ruta de la nutrición energética!

Ya no hay billete de vuelta.

Agradecimientos

A ti, papá, por enseñarme a disfrutar de la vida y no rendirme nunca, sé lo mucho que te habría gustado verme escribir.

A ti, mamá, por tu fe ciega y eterna en mí.

A ti, hermanito, por ese abrazo especial en los días difíciles.

A vosotras, mis queridas hijas, Mercedes y Rocío, reflejo de mis fortalezas y debilidades, por desafiarme cada día a ser auténtica y desarrollar el verdadero amor incondicional.

A Plataforma Editorial, por toda la confianza depositada en este proyecto juntos, gracias por apoyarme y hacer posible que a través de la palabra podamos reconocernos y sembrar semillas de vida. Gracias a Jordi Nadal, a Miguel Salazar y a Mercedes Castro por tanta ayuda recibida en tiempos difíciles.

A todos los profesionales del mundo de la salud y el entrenamiento consciente, a los que les debo el aprendizaje de las herramientas que hoy manejo en mi vida y en los que me inspiro cada día.

A Tina Bestard, Javier Aranda, Juan Carlos Menéndez, Carlos Núñez y David Ariza, por las deliciosas recetas compartidas, por confiar en el proyecto, por vuestro admirable criterio y saber hacer, y por que sigamos promoviendo juntos el comer como una filosofía de «buena vida».

En especial, gracias a mis dos ángeles de la guarda, Daniela y Eduardo, por convencerme de que los sueños están para cumplirlos, por vuestra magia, generosidad, amistad, enseñanzas, sentido del humor y energía. Gracias, Eduardo, por la introducción al libro, donde veo reflejadas con cariño tantas charlas enriquecedoras, de esas que animan a comerse el mundo.

Gracias a Luis Suárez de Lezo por acompañarme en este ilusionante proyecto y reforzar con el maravilloso prólogo nuestra creencia común de una vida sabrosa y disfrutona.

A Cristina y Alejandro, dueños de la finca Fuente Techada, en Sotosalbos, Segovia, por dejarnos disfrutar de la calidez de vuestro entorno y ayudarnos a plasmar la esencia del libro en imágenes.

A Ángela, uno de los timones más sólidos e importantes de mi vida.

A Lucrecia, mi hada madrina y buena amiga, gracias por vivir a mi lado tantas aventuras y darle ese toque estiloso al día a día con tu varita mágica y única.

Gracias, Jaime, no se me ocurre nadie mejor que tú, amigo y testigo de tantos capítulos de mi vida, para inmortalizar con tu cámara este momento.

Y a vosotros, amigos, por estar ahí cerca en distintos momentos de mi vida, sobre todo durante el tiempo de gestación de este primer libro; sois y seréis siempre parte de mi energía... Popi, Magdalena, Arturo, Fernando, Pilar, Patricia, Vanesa, Cristina y a ti, José, por tu complicidad, siempre.

Hablaré de ahora en adelante de hábitos y comidas, pero, si

algo he aprendido con el tiempo, es que lo que a mí me alimenta de verdad es rodearme de gente maravillosa con tan buena energía.

Esa es mi verdadera suerte.

Agradecida y contenta por el camino elegido.

Su opinión es importante.
En futuras ediciones, estaremos encantados
de recoger sus comentarios sobre este libro.

Por favor, háganoslos llegar a través de nuestra web:

www.plataformaeditorial.com

Para adquirir nuestros títulos,
consulte con su librero habitual.

«Ahora ya sé que el hombre es capaz
de grandes actos. Pero, si no es capaz de un gran
sentimiento no me interesa.»*
ALBERT CAMUS

«*I cannot live without books.*»
«No puedo vivir sin libros.»
THOMAS JEFFERSON

Desde 2013, Plataforma Editorial planta un árbol
por cada título publicado.

* Frase extraída de *Breviario de la dignidad humana* (Plataforma Editorial, 2013).